Dlaczego ?
mleko jest białe
Historyjki dla ciekawskich dzieci

Susanne Orosz

Dlaczego mleko jest białe ?

Historyjki dla ciekawskich dzieci

Ilustrowała Yayo Kawamura

Przełożyła Mirosława Sobolewska

Prószyński i S-ka

Tytuł oryginału
WARUM WÄCHST SCHOKOLADE
NICHT AUF BÄUMEN?

Ellermann im Dressler Verlag GmbH, Hamburg
© Dressler Verlag GmbH, Hamburg 2013
All rights reserved

Ilustracje na okładce
Dariusz Wójcik, Irina Pozniak

Opracowanie graficzne okładki
Dariusz Wójcik

Ilustracje w tekście
Yayo Kawamura

Redaktor serii
Anna Godlewska

Korekta
Irma Iwaszko

Łamanie
Alicja Rudnik

Dziękujemy za fachowe doradztwo pracownikom
gospodarstwa biodynamicznego stowarzyszenia Demeter Gut Wulfsdorf.

ISBN 978-83-7839-755-7

Warszawa 2014

Wydawca
Prószyński Media Sp. z o.o.
02-697 Warszawa, ul. Rzymowskiego 28
www.proszynski.pl

Druk i oprawa
OZGraf SA
10-417 Olsztyn, ul. Towarowa 2

Spis treści

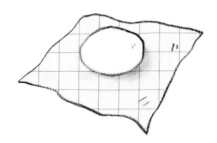

Pomidory na urodziny

Przed supermarketem stoją doniczki,
a w nich rośliny o miękkich liściach.
Janek delikatnie głaszcze palcem pokryte drobniutkimi
włoskami listki. Krzaczek sięga mu aż do pasa, a jego zapach
przypomina woń mchu.

Natalka podbiega do Janka i ogląda dziwną roślinę.
– Czy to są słoneczniki? – pyta.

Janek pochyla się i rozgarnia liście.
– Chyba nie. Przecież słoneczniki
są żółte. A te rośliny nie mają
żadnych kwiatów.

– Może one zaczynają kwitnąć
później – zastanawia się Natalka.
Janek zerka na stojące obok doniczki
ze słonecznikami. Nie, te tutaj są zupełnie
inne.

– Ależ one są wspaniałe – woła ktoś
za nimi. Janek odwraca się przestraszony.
Kobieta z brzęczącymi bransoletkami na ręce
i wielkimi kolczykami w uszach odsuwa go

na bok i sięga od razu po dwie rośliny. – Tylko dwa dziewięćdziesiąt. Przecież to prawie darmo. Wezmę od razu dwie.

Janek i Natalka spoglądają na siebie, potem śledzą wzrokiem kobietę, która kroczy w stronę wejścia do sklepu, trzymając po jednej doniczce w każdej ręce.

Natalka trzyma w dłoni pięciozłotówkę. Pieniądze dostała od mamy na kwiatek dla Adeli, z okazji jej urodzin. Impreza zaczyna się o piątej. Za pół godziny. Jeśli Janek i Natalka nie chcą się spóźnić, już teraz muszą się zdecydować, jaki kwiatek kupią koleżance.

– Moglibyśmy za dwa złote kupić nalepki z piłkarzami, jeśli weźmiemy to coś bez kwiatków – szepce Natalka i uśmiecha się.

Jankowi nawet się ten pomysł podoba. Jemu i Natalce brakuje jeszcze tylko trzech naklejek i będą mieli Ligę Mistrzów w komplecie.

– Ale jeśli one nie kwitną, to może to nie są żadne kwiaty – zastanawia się Janek.

Dzisiaj 2,99 zł

– Bzdura. Sam przecież widziałeś, jak ta pani ucieszyła się na ich widok. „Prawie darmo” – powiedziała. To chyba nic złego, że ta roślina nie ma kwiatów. A dla Adeli będzie w sam raz. Ona jest taka trochę dziwna.

Janek namyśla się chwilę. Natalka chyba nie ma racji. Nie wypada dawać Adeli na urodziny doniczki z zieloną łodygą, na której rosną brzydko pachnące liście. Nawet jeśli Adela jest nowa na osiedlu, a Janek i Natalka jeszcze się z nią dobrze nie zaprzyjaźnili.

– Wiesz, wydaje mi się… – zaczyna Janek. Ale Natalka już chwyta doniczkę i maszeruje z nią do kasy.

– Chodź szybko, spóźnimy się. Powiemy Adelce, że nam się po drodze ta roślinka wywróciła i kwiatek się ułamał. Nie musi wiedzieć, jak było naprawdę.

Janek wkłada ręce do kieszeni i człapie za Natalką do kasy. Jest mu jakoś nieswojo. Ale gdy Natalka podaje mu paczuszkę nalepek z piłkarzami, nastrój mu się poprawia.

Natalka i Janek idą ulicą Modrzewiową, a następnie skręcają w Olchową. Tam mieszka Adela. Z ogrodu za domem dobiegają głośne krzyki i śmiechy. Natalka wciska Jankowi doniczkę w dłonie.

– Ty ją daj! – mówi i przyciska dzwonek. Śmiechy w ogrodzie stają się głośniejsze i Janek próbuje dojrzeć przez żywopłot, co się tam dzieje. Adela i inne dzieci zbudowały w ogrodzie domek z koców. Furtkę otwiera kobieta z czarnymi loczkami.

– Cześć, ja jestem Katarzyna, mama Adeli. Pewnie chodzicie do tej samej klasy, co Adela?

Natalka kręci głową.

– Ja jestem z Adelą w tej samej klasie. Janek nie. To mój młodszy brat. On jeszcze nie chodzi do szkoły.

– Zapraszam do środka.

Adela wypełza z domku i macha do nich.
Cieszy się, że Natalka przyszła.

– Cześć. To jest nasz zamek. Chcielibyście zbudować taki sam?

– Jasne – mówi Natalka. – Wszystkiego najlepszego z okazji urodzin.
Mamy dla ciebie prezent.

Janek niepewnie przygląda się roślinie. Cóż, trochę głupio, że nie
ma na niej ani jednego kwiatka. Gdyby to od niego zależało, dawałby
teraz Adeli prawdziwy żółty słonecznik. Ale on nie miał nic do gadania.

Chłopczyk czuje, jak schowana w kieszeni paczuszka z naklejkami kłuje go delikatnie w udo poprzez materiał spodni.

– Przykro mi – mruczy Janek. – Eee, to znaczy wszystkiego najlepszego z okazji urodzin.

– Ale super – woła Adela, odbierając roślinkę z rąk Janka. – Skąd wiedzieliście, że właśnie taką chciałam?! Bardzo dziękuję. – Adela biegnie z doniczką na taras. – Zaraz ją zasadzę. Pomożecie mi?

Janek bardzo się ucieszył, że podarunek sprawia dziewczynce tyle radości. Odwraca się w stronę siostry. Natalka właśnie znika w domku z koców. Janek nie ma zielonego pojęcia o sadzeniu roślin. Nigdy jeszcze tego nie robił. Wzdycha i wkłada ręce do kieszeni.

– Tutaj ją zasadzimy, obok tego krzaczka malin. Będzie miała dużo słońca. – Adela wygrzebuje łopatką spory dołek w ziemi. Jest tak podekscytowana, że aż zarumieniły jej się policzki. Janek klęka obok niej i dłońmi odsuwa na bok wykopaną ziemię.

– Też lubisz pracować w ogródku? – pyta Adela.
– Ja uwielbiam!

Janek patrzy na nią i przełyka ślinę. Nie wie, co powiedzieć.

– Szkoda, że tej roślinie ułamał się czubek. Ale może urośnie jej drugi? – mówi nagle.

Adela marszczy czoło.

– Jaki czubek? Co masz na myśli?

– No, ten z kwiatkiem.

– Ale przecież kwiatki dawno już przekwitły. Popatrz tutaj. – Adela pokazuje palcem liczne zielone kuleczki rosnące na gałązkach. Janek wcześniej ich nie zauważył.

10

– Każda z tych kuleczek jeszcze niedawno była małym żółtym kwiatkiem – wyjaśnia Adela.

– Aha, no tak, teraz rozumiem – mówi Janek i przytrzymuje mocno doniczkę, podczas gdy Adela wyciąga z niej roślinę. Dziewczynka wkłada teraz część z korzeniami do wygrzebanego dołka i zasypuje ziemią, a następnie mocno uciska glebę wokół łodygi.

Janek delikatnie obmacuje zielone perełki na gałązkach. Jest bardzo ciekawy, co z nich wyrośnie.

– Będą bardzo smaczne – zapewnia go Adela. – Bajecznie pyszne, mówię ci!

Janek kiwa głową. W co też zamienią się te zielone kulki? Czy naprawdę będą smaczne?

– Sprawiliście mi tym prezentem wielką radość. Bardzo dziękuję. – Adela całuje Janka w policzek. Chłopczyk ściera sobie szybko całusa i przygląda się, jak Adela wsadza w ziemię długi bambusowy kijek

i przywiązuje do niego krzaczek. Ależ ona jest fajna! Janek wyciąga
z kieszeni nalepki z piłkarzami i podsuwa je dziewczynce.

– Proszę bardzo, weź. One też są dla ciebie.

– Dziękuję, Janku. To miłe z twojej strony. Ale mnie piłka nożna
w ogóle nie interesuje. Lepiej przyjdź, gdy dojrzeją pomidory, i pomóż mi
je zbierać. Oczywiście dam ci spróbować.

Janek marszczy czoło. I wreszcie zaczyna
rozumieć. Te zielone kuleczki to są pomidory!
No jasne! Teraz są jeszcze bardzo małe i muszą
urosnąć. To co podarowali Adeli, to nie jest żaden
słonecznik, tylko krzaczek pomidorów!

– A kiedy dojrzewają pomidory? – dopytuje się Janek.

– No cóż, potrwa to jakieś dwa – trzy miesiące. Przychodź do mnie
co tydzień. Sam zobaczysz, jak rosną i nabierają czerwonego koloru.

Janek ani słowem nie wspomina Natalce o tajemnicy pomidora. Po prostu
raz w tygodniu odwiedza Adelę. W każdy wtorek, po treningu piłki
nożnej. Od początku lata do jego połowy roślina urosła tak bardzo, że sięga
mu teraz do ramienia. Mama Adeli wkopała obok pomidora kubek po
jogurcie, w którym wcześniej zrobiła liczne dziurki. Pomidorów nie wolno
polewać z góry. W każdy wtorek Janek wlewa więc do kubka po jogurcie
pół konewki wody. Już niedługo pomidory na gałązkach zrobią się ciężkie
i duże jak małe jabłka.

Lato zbliża się ku końcowi i nadchodzi wreszcie ta pora: pomidory
są jędrne i mają piękny czerwony kolor. Wystarczy delikatnie za nie
pociągnąć, a same odpadają z szypułek. Adela myje je wodą z węża
ogrodowego i podaje jeden Jankowi. Chłopczyk odgryza wielki kęs.
Pomidor Adeli ma owocowy, lekko pikantny i jednocześnie słodki
smak. W każdy wtorek dziewczynka wręcza Jankowi trzy piękne owoce.

Dzieli się z nim wszystkim, co wyrasta na krzaczku. Janek uważa, że to super z jej strony. Zabiera pomidory do domu i z dumą przygotowuje z nich kolację dla siebie i Natalki. Pajdy chleba z pomidorem, tak jak nauczyła go Adela. Natalka najpierw kręci nosem, udaje, że nie znosi pomidorów. Ale gdy Janek odwraca się na chwilę, pochłania pospiesznie dwie kanapki.

Kącik wiedzy

Co byśmy jedli, gdyby nie Indianie! Indianie uprawiali pomidory, ziemniaki czy kukurydzę setki lat przed tym, zanim mieszkańcy Europy poznali te rośliny. Aztekowie nazywali czerwone jagody **pomidora** *tomatl*, co oznacza „jędrną, spęczniałą jagodę". W języku niemieckim **pomidor** do dzisiaj nazywa się *Tomate*, w angielskim *tomato*. Rzeczywiście dojrzałe **pomidory** wyglądają jakby były napuchnięte i są bardzo jędrne i soczyste. Mają delikatną gładką skórkę, a pod nią tylko sok i miąższ.

Do Europy sprowadził je znany podróżnik Krzysztof Kolumb. Mieszkańcom Włoch tak bardzo posmakowały te owoce, że zaczęli je uprawiać na wielkich plantacjach. Gotowali je z pieprzem, octem i oliwą i polewali tak powstałym sosem spaghetti. Dzisiaj też tak robią, a pyszne spaghetti znane jest na całym świecie?

W Polsce **pomidory** znalazły się w XVI wieku dzięki królowej Bonie, ich nazwa zwyczajowa utrwalona w języku francuskim *pomme d'or* (dosłownie znaczy to „złote jabłko" – kiedyś **pomidory** były raczej żółte niż czerwone) stała się źródłem dla określenia używanego w naszym języku.

Długi i pyszny

– Tomku, pomożesz mi zebrać pranie? – woła mama. Znienacka lunęło jak z cebra, jakby ktoś wylewał nad balkonem wodę z konewki.

– Jasne, już idę. – Tomek otwiera drzwi balkonowe.

Mama łapie z jednej strony suszarkę do bielizny, a Tomek z drugiej. I razem podnoszą ją w górę.

– A niech to wszystko gęś kopnie! – nagle ktoś obok zaklął głośno.
Mama i Tomek zaglądają ciekawie na sąsiedni balkon. Stoi na nim
pan Słowik. Jest nowy w ich kamienicy, wprowadził się dopiero niedawno.
Ani Tomek, ani jego rodzice nie zdążyli jeszcze poznać sąsiada bliżej.
Pan Słowik ma różową łysinę, na nosie okulary z grubymi szkłami,
a pod luźną koszulą ukrywa pokaźny brzuch. Nieporadnie próbuje
schować suszarkę na bieliznę w mieszkaniu. Pręty suszarki łomocą
o poręcz balkonu. – To bezczelne ptaszyska! Prawie wszystko
mi wyżarły.

Mama i Tomek uśmiechają się.

– Od kiedy to ptaki jedzą majtki? – szepce chłopczyk.

– Albo skarpetki? – chichoce mama.

Zaniepokojony Tomek rozgląda się w poszukiwaniu swojej drugiej skarpetki ze Spidermanem. Na szczęście znajduje ją, wisi obok szala mamy.

– Proszę tylko spojrzeć! – Pan Słowik podnosi dwoma palcami czarną sznurówkę i pokazuje ją Tomkowi i jego mamie. – Przecież czegoś takiego nie zje już żaden człowiek, prawda?

Chłopczyk kręci głową.

– Oczywiście, proszę pana. Nikt nie jada sznurówek. Ja na pewno nie.

Mama z Tomkiem wnoszą suszarkę z bielizną do salonu. Ale Tomek natychmiast wysuwa głowę przez drzwi balkonowe i przygląda się, jak sąsiad bierze jedną po drugiej wszystkie sznurówki i wyrzuca je z balkonu na trawnik. Natychmiast nadlatują dwie wygłodniałe wrony i rzucają się na zdobycz. Tomek nie może się nadziwić. Tego, żeby ptaki pożerały sznurówki, chłopczyk jeszcze nie widział.

– Nie, to niemożliwe! – woła.

Pan Słowik śmieje się.

– Dlaczego nie? Wrony to prawdziwi smakosze. Uwielbiają moje spaghetti.

Teraz Tomek zaczyna rozumieć.

– To nie są żadne sznurówki, tylko spaghetti, prawda?

– Sam je zrobiłem – podkreśla pan Słowik.

Usta Tomka układają się w wielkie „O".

– To pan potrafi robić spaghetti? – dziwi się chłopczyk.

– Oczywiście. Każdy rodzaj makaronu można zrobić w domu. To najprostsza rzecz na świecie. Nie mów mi, że nie wiesz, jak się to robi?

Tomek kręci głową.

– Nie lubisz makaronu? – Pan Słowik wydaje się
zmartwiony.

– Wręcz prze-prze-ciwnie – jąka się Tomek. – Uwielbiam
makaron. Nieważne, czy jest długi, czy krótki, pozwijany
czy z dziurką w środku.

Pan Słowik bierze się pod boki.

– Dzisiaj po południu będę robił nowy makaron. Jeśli chcesz, możesz mi
pomóc. Pokażę ci, jak się to robi.

– Wspaniale – cieszy się chłopczyk. Naprawdę bardzo go interesuje,
jak się odbywa domowa produkcja makaronu.

Punkt druga Tomek staje przed drzwiami pana Słowika i przyciska
dzwonek. Sąsiad otwiera prawie natychmiast.

– Wejdź, proszę, i nie przejmuj się bałaganem.

Tomek idzie za gospodarzem przez zastawiony skrzyniami i pudłami
korytarz.

– Jeszcze wszystkiego nie rozpakowałem – wyjaśnia mężczyzna.
– Nie miałem czasu. Dwa dni temu zadzwonili do mnie z telewizji
i zaprosili do programu kulinarnego. Pięć razy starałem się o udział
w tym programie i właśnie teraz mi się udało.

– Naprawdę gotuje pan w telewizji? – Tomek zna wszystkie
programy kulinarne. Nadawane są przeważnie po południu.
On i mama oglądają je razem, zwłaszcza gdy potrzebują
nowych pomysłów na wspólny obiad. Ludzie, którzy w nich
występują, muszą gotować bardzo szybko i bardzo dobrze,
tyle Tomek wie.

– Na szczęście piec jest już podłączony i rozpakowałem swoje
najważniejsze książki kucharskie.

Chłopczyk zatrzymuje się na progu kuchni za panem Słowikiem. Piec jest ogromny i lśni metalicznym blaskiem.

– Proszę, ten jest dla ciebie. – Pan Słowik podaje Tomkowi biały fartuch. Chłopczyk zawiązuje go sobie z tyłu. Fartuch leży doskonale i Tomek czuje się jak prawdziwy mistrz kucharski.

– Kiedy pan będzie w telewizji? – pyta.

– Już w przyszłym tygodniu – odpowiada pan Słowik i przesiewa na stole kuchennym mąkę, robiąc z niej wielką górę.

– Jeśli dopisze mi szczęście, przejdę przez wszystkie etapy i zostanę zwycięzcą. Muszę ugotować pięć różnych dań, a znani szefowie kuchni będą ich próbować i wystawią mi ocenę.

– Czy pan jest kucharzem? – dopytuje się Tomek.

– Gotowanie to moje hobby. Z zawodu jestem nauczycielem matematyki. – Tomek aż się skulił. Pan Słowik uśmiecha się. – Matematyka jest wspaniała… i bardzo ważna w kuchni. – Sąsiad pokazuje na pudełko z jajkami stojące na stole.

– Raz, dwa, trzy jajka proszę. Rozbij je i wlej do tego małego dołka, który zrobiłem w kopcu mąki.

Tomek bierze ostrożnie jajko i rozbija je delikatnie o brzeg metalowej miski, którą podstawił mu pan Słowik. Na szczęście chłopczyk bardzo często pomaga mamie w gotowaniu i wie, że skorupkę surowego jajka trzeba rozbijać ostrożnie, z wyczuciem, bo inaczej cała zawartość wypłynie na stół i na palce.

Tomek wylewa jajko ze skorupki do dołka.

– Świetnie to robisz – chwali go pan Słowik i sypie na mąkę szczyptę soli. – Jeszcze tylko trochę wody i będziemy to wszystko zagniatać.

Tomek podwija rękawy, wsuwa obie dłonie w mąkę i zaczyna wyrabiać ciasto. Ale to nie jest takie proste. Jajka wyślizgują się pomiędzy palcami, a mąka pyli tak, że Tomkowi zakręciło się w nosie i zaczyna kichać. Do jego palców i do twarzy kleją się kawałeczki masy. Ciasto jest jak zaczarowane – nie chce się dać zagnieść.

Chłopczyk wzdycha. Bolą go dłonie i ramiona, a z wysiłku prawie nie może zginać palców.

– Dobrze ci idzie – mówi z uznaniem pan Słowik. – Ciasto robi się już gładkie. – I rzeczywiście z pokruszonej masy powoli robi się gładkie i elastyczne ciasto.

Teraz sąsiad wyrabia je na lśniącą kulę, którą na koniec wkłada pod odwróconą do góry dnem miskę.

– Teraz ciasto odpocznie. W mące znajdują się substancje kleiste, które muszą się rozpuścić. Ten klej sprawi, że ciasto będzie się lepiło. Zrobi się bardziej elastyczne i zwarte. Tymczasem zastanów się, czym zabarwimy nasz makaron. Na czarno koloruję go atramentem produkowanym przez pewien gatunek kałamarnicy. Dodatek koncentratu pomidorowego sprawi, że makaron będzie czerwony, szafran zabarwi go na żółto, a szpinak nada mu kolor zielony.

– Czerwony byłby zabawny – uważa Tomek. – Czarny makaron wyglądałby jednak dziwnie.

– To prawda. Czerwony makaron jest ładniejszy. – Pan Słowik przynosi z lodówki słoiczek z koncentratem pomidorowym.

Ciasto już odpoczęło. Sąsiad zagniata je z dodatkiem koncentratu i pozwala Tomkowi rozwałkować kulę na wielkim stole. Ależ to pięknie wygląda. Różowe ciasto makaronowe. Chłopczyk wałkuje coraz cieniej i cieniej, aż zaczyna przez nie prześwitywać stół.

Następnie pan Słowik zwija ciasto w rulon i tnie na cieniutkie paseczki. A Tomek rozwija te paseczki i rozwiesza na suszarce do bielizny.

– Tym razem nie postawimy suszarki na balkonie. Bo ptaki znowu będą szybsze.

– Nie – śmieje się pan Słowik. – Tym razem sami zjemy makaron.

Suszarka jest już zapełniona i Tomek rozwiesza makaronowe nitki na oparciach krzeseł, na kartonach i nawet na lampie stojącej. W całej kuchni nie ma już ani jednego wolnego miejsca, gdzie można by usiąść lub stanąć, nie przyklejając się do makaronu.

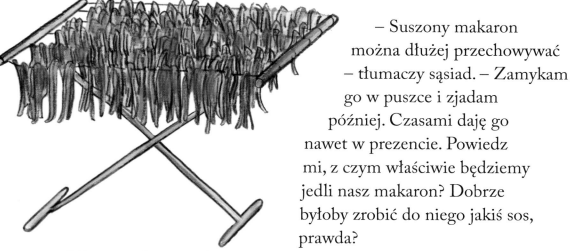

– Suszony makaron
można dłużej przechowywać
– tłumaczy sąsiad. – Zamykam
go w puszce i zjadam
później. Czasami daję go
nawet w prezencie. Powiedz
mi, z czym właściwie będziemy
jedli nasz makaron? Dobrze
byłoby zrobić do niego jakiś sos,
prawda?

– Mamy w domu zielony groszek i szynkę – przypomina sobie Tomek.

– Zrobię z tego pyszny sos – zapewnia pan Słowik. – Może twoi rodzice
też będą mieli ochotę na makaron z sosem?

Wieczorem mama wyjmuje z szafki butelkę wina, a tata wyciąga
z lodówki zielony groszek. A potem się zaczyna: pan Słowik wyczarowuje
do makaronu sos śmietanowy z groszkiem i szynką. Tomek i jego
rodzice mlaskają i wzdychają, i wznoszą przy jedzeniu oczy do nieba,
tak bardzo są zachwyceni. Mama prosi sąsiada o przepis na makaron.

Ale nie musi go zapisywać
– Tomek ma wszystkie
składniki w głowie. Już jutro
planuje pokazać mamie,
jak robi się makaron.

– Pyszne – chwali tata
Tomka. – Na pewno wygra
pan ten konkurs kulinarny.

– Nie jestem tego taki
pewien. Niestety, bardzo

się denerwuję występem w telewizji. Ale może chcecie wszyscy troje być gośćmi w tym programie i siedzieć na widowni? Mniej bym się denerwował, gotując.

– Oczywiście – odpowiada Tomek. – Przyjdziemy i będziemy panu kibicować!

Kącik wiedzy

Kto właściwie wynalazł **makaron**? Od dłuższego czasu spierają się o to Chińczycy i Włosi. Włosi uważają, że to ich wynalazek i ojczyzną **makaronu** są w związku z tym Włochy. Ale Chińczycy twierdzą, że Włosi nie wynaleźli **makaronu** sami, a jedynie podpatrzyli go u Chińczyków. Faktem jest, że sławny włoski podróżnik Marco Polo przemierzał w średniowieczu Azję. W czasie swoich wędrówek jadł w Chinach **makaron**, który smakował mu tak bardzo, że przywiózł go do swojej ojczyzny.

Ale i we Włoszech znano potrawy z **makaronu** na długo przed pojawieniem się Marca Polo. Prawdopodobnie w obu tych krajach: we Włoszech i w Chinach wynaleziono **makaron** niezależnie od siebie. I to jest nawet logiczne. Bo niby dlaczego taka pyszna rzecz miałaby zostać wymyślona tylko jeden raz?

Cudowna pigułka

Państwo pozwolą? Jestem Lilka – wielka badaczka.

Tym razem w moich badaniach chodzi o śmierć i życie. Jeśli mój kolega i ja w najbliższych dniach nie wymyślimy jakiejś cudownej pigułki, z moją młodszą siostrą będzie bardzo źle. Ze zmęczenia zacznie zasypiać na stojąco i z braku sił spadać z drabinki.

Moja mała siostrzyczka nazywa się Karolina. Nienawidzi zdrowego jedzenia, takiego jak owoce i surowe warzywa. A mój kolega badacz to Franek. Franek jest raczej mały, ale chodzi ze mną do drugiej klasy. Siedzimy razem w jednej ławce. Oboje chcemy zostać uczonymi. Dostaliśmy nawet specjalną nagrodę dla badaczy. Od pani Pazurek, naszej nauczycielki. Narysowaliśmy łupinę cebuli, którą widzieliśmy pod mikroskopem. Ale dzisiaj zajmujemy się czymś o wiele ważniejszym: Karoliną.

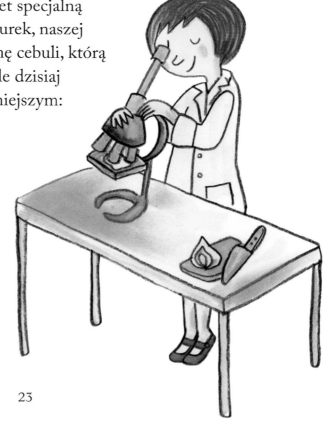

Od tygodni moja siostra nie przyswaja żadnych witamin.

– Fuj, zabierz to! – krzyczy, gdy stawiam przed nią miskę z sałatą. – Nienawidzę zieleniny!

Karolina nie je nic oprócz jajek z czekolady i makaronu w kształcie świderków. Ale na makaronie nie ma prawa znaleźć się nawet najmniejszy kleks sosu pomidorowego. Nawet najmniejszy listek bazylii. A przecież to w warzywach i w sałacie znajdują się najważniejsze witaminy. Wszystko to, co przez cały dzień trafia do naszego żołądka, jest w nim i w jelitach trawione i rozkładane na ważne substancje odżywcze. I te substancje odżywcze wędrują naczyniami krwionośnymi wraz z krwią do wszystkich komórek naszego ciała: w mięśniach i w kościach, w mózgu i w skórze. I dzięki temu witaminy trafiają do całego organizmu – od palców stóp aż po końcówki włosów. Witaminy odbudowują komórki i chronią nas przed chorobami. Jest bardzo dużo różnych witamin: witamina A, B, C, D czy E. I każda z nich ma inne zadania. Witamina C na przykład ważna jest dla serca, a witamina D dba o kości.

– Przecież wiesz, że bez witamin nie można żyć – tłumaczę Karolinie. – Zachorujesz, będziesz bardzo zmęczona i nie będziesz mogła bawić się ani pracować.

– No i co z tego – odpowiada Karolka, nadziewając na widelec nagusieńki makaron.

– Proszę, Karolinko, zjedz chociaż kawałeczek ogórka! – Mamie już od paru tygodni drży głos, gdy rozmawia z młodszą córką. A głos drży jej zawsze wtedy, gdy się czymś martwi.

Mama ma powód do zmartwienia: żaden człowiek nie może żyć samą czekoladą i makaronem.

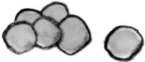

– Twoja siostra potrzebuje jakichś witaminowych pigułek – mruczy zatopiony w myślach Franek, patrząc przez okno. – Może w postaci żelkowych miśków? Do żółtych moglibyśmy dodać witaminy C, do czerwonych witaminy A, a do zielonych witaminy B.

– To bez sensu – odpowiadam. – Kupiliśmy Karolinie żelki w sklepie ze zdrową ekologiczną żywnością. Ona je po prostu wypluła, ponieważ w środku zamiast cukru był miód. Od tej pory w ogóle nie je żelków.

Franek patrzy na mnie ze zdziwieniem, a oczy robią mu się wielkie jak spodki.

– Żadnych żelków?

– Ani jednego – potwierdzam. – To, czego szukamy, musi pasować do makaronu i powinno smakować raz słodko, raz słono, zależnie od tego, czy Karolina chce jeść makaron na słodko, czy na słono.

– Aha. – Franek dalej w skupieniu wygląda przez okno. – Słodko albo słono… i musi pasować do makaronu. Nie, no wiesz… – Przyjaciel kręci głową. – Naprawdę nic mi nie przychodzi do głowy.

– Oczywiście, nic nam nie przychodzi do głowy, bo sobie tutaj siedzimy. Powinniśmy wyjść na dwór i badać rzeczy w terenie. Od siedzenia w domu nikt jeszcze nie wpadł na żaden genialny pomysł.

I wyszliśmy. W supermarkecie chodziliśmy między regałami, w aptece szukaliśmy w koszu z superpromocjami, a w sklepie z napojami przeczytaliśmy wszystkie etykiety soków warzywnych i owocowych. Ale nie znaleźliśmy nic, co pasowałoby do makaronu.

– O matko, przecież musi istnieć coś takiego – mówię głosem tak samo drżącym jak głos mamy.

W sklepie na rogu Franek dokonuje odkrycia. Wyciąga z regału żółtą torbę. Na niej wielkimi literami napisane jest *Niespodzianka*.

– Świetnie! – wołam z zachwytem. – To może być to!

– Myślisz, że Karolina będzie to jadła? – Franek ogląda paczkę. – W każdym razie w środku jest mnóstwo cukru i nawet witamina B.

– No tak – mruczę. – Bądź co bądź, witamina z niespodzianką. Spróbujmy.

Franek potrząsa paczką, trzymając ją przy uchu.

– Założę się, że niespodzianką jest taka mała figurka, która świeci w ciemności – mówi szeptem. Wiem, że najchętniej otworzyłby torebkę i zajrzał do środka.

– Zostaw ją. – Zabieram Frankowi paczkę i kładę ją na taśmie przy kasie. Chrupiące płatki kosztują trzy dziewięćdziesiąt dziewięć. Ojej. Wydam całe swoje kieszonkowe! Ale czego się nie robi dla młodszej siostry.

– Co to jest? – pyta Karolina, przyglądając się, jak Franek wsypuje cudowne płatki do miseczki.

– Fantastyczne płatki – wyjaśnia Franek. – Słodkie i chrupkie.

– Z cukrem? – dopytuje się Karolina i ogląda zieloną żabę, która znajdowała się w paczce jako niespodzianka.

– Mają bardzo dużo cukru – potwierdza Franek, dolewając mleka do miseczki.

Karolina uśmiecha się i wkłada sobie czubatą łyżkę do buzi. Słychać głośne chrupanie, gdy rozgniata płatki zębami. Franek patrzy na mnie z miną zwycięzcy i kiwa głową. Uśmiecham się z ulgą. Nareszcie znaleźliśmy właściwe jedzenie dla Karoliny! Ale raptem moja siostrzyczka opuszcza kąciki ust, a na jej czole pojawia się kilka fałdek.

– Fuj, to ma smak tektury – marudzi Karolina i wypluwa płatki z powrotem do miski. – Czy dzisiaj nie będzie makaronu?

– Podejrzewam, że już nie mamy w domu żadnego makaronu – oznajmiam niepewnym głosem.

Karolina energicznie odsuwa od siebie miskę, aż mleko wylewa się na stół.

– Będę jadła makaron i nic poza tym. A swoje płatki możesz jeść sobie sam. W środku są tylko jakieś kretyńskie witaminy. Myślisz, że jestem głupia i tego nie wiem?

Karolina wstaje, bierze świecącą żabkę i maszeruje do swojego pokoju, tupiąc głośno na schodach.

– No i się skończyło! – wzdycha Franek.

– Trudno. Ale przynajmniej próbowaliśmy.

Franek wraca do domu. Siedzę smutna przy stole i maluję różne wzory rozlanym mlekiem. Nic mądrego nie przychodzi mi do głowy. A przecież musi istnieć coś, co ma witaminy i co jadłaby Karolina.

– Musujące tabletki z witaminami – szepce Franek, przepisując z tablicy do zeszytu zadanie matematyczne. – Może Karolci będzie smakowała witaminowa oranżadka?

– Zapomnij – odpowiadam mu również szeptem, ostrząc ołówek.

– Ej, wy dwoje, macie jakiś kłopot? – Nagle staje przy nas pani Pazurek. Patrzy swoimi jasnoniebieskimi oczami i w tym momencie uświadamiam sobie, że pani Pazurek jest naszym wybawieniem.

– Słodkie i słone, musi pasować do makaronu, a przy tym ma to być również niespodzianka. – Jest przerwa. Spędzamy ją na boisku. Nauczycielka siada na oponie wiszącej na dwóch mocnych linach na drzewie. Zaczyna huśtać się, myśląc intensywnie. Franek i ja stoimy obok, wpatrując się w nią w napięciu. Ze zdenerwowania zwijam zeszyt do matematyki w trąbkę.

– Właściwie tylko jedna rzecz przychodzi mi do głowy. – Pani Pazurek wyjmuje mi zeszyt z ręki, rozkłada go i rysuje na pierwszej stronie coś, co wygląda jak niewielkie pigułki w zakończonej czubkiem rurce. Nie mam pojęcia, co przedstawia ten obrazek. Ale Franek uśmiecha się szeroko i szepce: – Człowieku! To jasne. Powinniśmy od razu na to wpaść!

Po szkole Franek i ja nadkładamy drogi i zachodzimy do supermarketu. Na stoisku z warzywami kupujemy kilogram tego, co narysowała nam pani Pazurek. Z torebką w ręku wkraczam chwilę później do naszej kuchni. Karolina siedzi przed pustym talerzem i czeka, aż tata ugotuje jej makaron.

– Popatrz, co ja tu mam! – wołam od progu, wymachując torebką.

– Co to jest? – dopytuje się Karolina.

– Niespodzianka! – woła Franek, stojąc za mną w drzwiach.

– Pokażcie. Chcę zobaczyć tę niespodziankę!

Otwieram torebkę i wysypuję na stół nieco z jej zawartości. Karolina jest przerażona tym widokiem.

– Fuj, to są warzywa!

– Tak, ale bardzo szczególne warzywa! – Biorę do ręki zielony strąk i otwieram go, przyciskając paznokciem kciuka. Ze środka wysypuje się siedem zielonych kulek różnej wielkości.

– To są superpigułki! – wyjaśniam Karolci. Podrzucam jedną z nich w górę i chwytam ustami.

– Można je tak po prostu jeść? – pyta moja siostra.

– Oczywiście! – Teraz wrzucam kulkę w otwarte usta Franka.

– Hmmm… słodka! – cieszy się Franek i żuje z przyjemnością.

Teraz i Karolka otwiera usta, a ja wkładam jej groszek do buzi.

Karolina szeroko otwiera oczy ze zdumienia i woła:

– Super! Smakuje słodko i jest chrupiący!

– A w każdym zielonym strąku znajduje się niespodzianka. Popatrz.

– Otwieram nowy strączek i podaję go siostrze.

– Ale fajnie!

– Ale najlepsze będzie teraz! – mówi tata i wsypuje pełną garść kulek do garnka.

– Na jaki makaron masz dzisiaj ochotę? – pytam Karolinę.

– Słony – mówi bez zastanowienia.

– W porządku. – Tata dodaje łyżeczkę masła do garnuszka i zakrywa go pokrywką.

Chwilę później wszyscy siedzimy przy stole i przyglądamy się, jak Karolina pochłania swój makaron razem z kuleczkami.

– Ależ one pysznie smakują z makaronem, te wasze cudowne pigułki.

– Tak, a najlepsze w tym wszystkim jest to, że nie musieliśmy ich wymyślać od nowa. Po prostu kupiliśmy je w sklepie.

Tata mocno ściska mnie i Franka.

– Na szczęście mamy naszych badaczy. Jak myślicie, może powinniśmy Karolci zdradzić prawdziwą nazwę tych cudownych pigułek?

Franek i ja prostujemy się z dumy.

– Groszek – wołamy, przewracając oczami.

Zielony groszek to prawdziwe cudowne pigułki: małe zielone kulki pełne są minerałów i witamin (B_1 i B_2, ważnych dla prawidłowej pracy nerwów i mózgu). **Groszek** bardzo łatwo zasadzić samemu. Wiosną kupuje się nasiona, wsadza się je do doniczki i dobrze podlewa. Nie będziesz długo czekać. **Groszek** rośnie bardzo szybko. Kiedy roślinki osiągną wysokość palca, trzeba zadbać o podpórkę. **Groszek** wspina się bowiem do góry, czepiając się podpory. Na początku wystarczy niewielki patyk, ale później trzeba zbudować prawdziwą podporę – najlepiej w formie kratki. **Groszek** osiąga nawet dwa metry wysokości.

W małych podłużnych torebeczkach, strąkach, znajdują się owoce rośliny, **zielone groszki**. Strączki należy otworzyć, a **groszek** ugotować albo zjeść na surowo. Młode strączki groszku cukrowego również nadają się do jedzenia.

Ziołowe czary

– Ależ wspaniałe! – cieszy się pani Łącka, przyglądając się
z zainteresowaniem roślinkom i bukiecikom, które dzieci położyły przed
sobą na ławkach.

Jako pracę domową nauczycielka zadała dzieciom przyniesienie
na lekcję ziół, które znajdują się w ich domach.

– Zobaczmy, co my tu mamy. – Podchodzi teraz do pierwszej ławki
i podnosi gałązkę z gładkimi miękkimi listkami. W górę natychmiast
wystrzeliwuje las rąk, a niektórzy nawet pstrykają niecierpliwie palcami,
ponieważ wiedzą doskonale, jak nazywa się zioło trzymane w ręce przez
nauczycielkę.

– Bazylia! Dodaje się ją
do pomidorów i spaghetti – mówi
Tereska.

– To prawda. – Pani Łącka
rozciera w palcach listek bazylii
i podsuwa dzieciom pod nos. Hm,
jak to pachnie? Świeżo i jakby trochę
ziemiście.

Teraz nauczycielka bierze mały pęczek
z pokręconymi listkami.

– Pietruszka – zgłasza się Karolek. – Do zupy?

– Dobrze. – Pani Łącka kiwa głową. – Ale również dodana
do ziemniaków smakuje pysznie. A to? – Teraz podnosi w górę łodyżkę
z ciemnozielonymi ząbkowanymi listkami. Ręce dzieci niepewnie
obniżają się i lądują na ławkach. Nauczycielka obrywa jeden listek

i rozciera go w palcach. A potem podsuwa go Jankowi pod nos.

– Hm, pachnie jak guma do żucia. To jest mięta!

– Tak. Wiele ziół łatwiej rozpoznać po zapachu niż po wyglądzie. Trzeba urwać listek, rozetrzeć, a następnie powąchać. Olejki eteryczne rośliny mieszają się z powietrzem i ulatniają się substancje zapachowe – wyjaśnia nauczycielka.

Potem podchodzi do Kasi. Na ławce przed dziewczynką leży torebka herbaty. Pani Łącka macha nią, trzymając za sznureczek.

– To tutaj to bardzo ważne ziele lecznicze. Potrzebujecie go, gdy jesteście przeziębieni.

– Rumianek! – woła Jasiek. Nauczycielka rozrywa cieniutki papier torebki i wysypuje zawartość na białą kartkę. – Widzicie? Same rozdrobnione kwiaty rumianku. Rumianek to roślina kwitnąca i to właśnie jej kwiaty zbiera się i suszy na słońcu, a następnie rozdrabnia i pakuje do torebek. Rumianek nie jest ziołem używanym w kuchni, tylko zielem leczniczym. To znaczy,

że można się wyleczyć, pijąc zrobioną z niego herbatkę albo robiąc inhalację naparem.

– Ale przecież mięta też jest zdrowa. I w ogóle wszystkie zioła.

– Zgadza się, Teresko. Większość ziół ma wpływ na nasze zdrowie, nieważne czy używamy ich w kuchni do gotowania, czy też parzymy z nich herbatkę.

Nauczycielka uśmiecha się. Jest dumna: większość dzieci wie bardzo dużo na temat ziół. Teraz pani Łącka odwraca się w stronę Luizy. Ławka przed dziewczynką jest pusta.

– A ty, Luizo, nie przyniosłaś żadnych ziół?

Luiza uśmiecha się krzywo.

– Nie, proszę pani. Niestety nie mogłam.

– A dlaczego nie? Zjadłaś je wszystkie po drodze?

Pani Łącka i dzieci wybuchają śmiechem.

– Nie o to chodzi, nie zjadłam ich. Zostawiłam je tam na dole. – Luiza pokazuje ręką na boisko.

Nauczycielka wygląda przez okno. Jest bardzo ciekawa, co tam zobaczy. Marszczy czoło.

– No cóż, nic nie widzę. Jeśli chcesz, żebyśmy obejrzeli twoje zioła, musisz je tu przynieść.

– Ale nie mogę. Proszę pani, naprawdę nie mogę tego zrobić. – Luiza uśmiecha się, ale mina nauczycielki jest bardzo poważna.

– Luizo. Posłuchaj. Już drugi raz w tym tygodniu nie odrobiłaś zadania domowego.

Luiza rumieni się.

– Ja… ja nie mogłam tak po prostu wyrwać tych ziół. Nikt tego nie może zrobić.

– Mam już dość twoich opowieści – mówi surowo pani Łącka.

Luiza szybko zrywa się z krzesła i biegnie do drzwi.

– Jeśli pani mi nie wierzy, to niech pani sama zobaczy. Proszę!

Luiza otwiera drzwi i robi zapraszający gest ręką. Nauczycielka zastanawia się chwilę. A potem daje znak klasie, żeby wszyscy poszli za nią. Luiza prowadzi ich korytarzem do wyjścia i dalej na boisko. Podbiega do muru ogradzającego teren i zatrzymuje się między drzewami tuż obok ciemnozielonego gąszczu roślin sięgających jej do kolan.

– Oto i moje zioła.

– Pokrzywa! – ostrzega Janek. – Nie dotykać. Co ty, Luizka, to nie są żadne zioła.

– Pokrzywa jest ziołem! – prycha Luiza.

– Chyba raczej chwastem! – Kasia popiera Janka.

– Stop, przestańcie. Wszyscy macie rację – godzi ich pani Łącka. – Dla ogrodników uprawiających warzywa i kwiaty pokrzywa jest chwastem, ponieważ rozrasta się bardzo szybko i zabiera miejsce na grządkach innym roślinom. Ale pokrzywy są też bardzo pożyteczne. Można je rozdrobnić, wymieszać z wodą deszczową i podlewać tym warzywa. Taka mikstura wzmacnia rośliny i sprawia, że bardzo ładnie rosną.

Kasia przygryza dolną wargę.

– A jednak nie można jeść pokrzywy. Przecież nawet nie da się jej dotknąć.

– No właśnie. Człowiek poparzyłby sobie usta, gdyby ją zjadł – odpowiada Janek.

– Rzeczywiście – Pani Łącka owija sobie dłoń szalem i bierze jedną z łodyżek, gęsto porośniętą liśćmi. – Trzeba mieć grube rękawice, żeby ją zbierać. – Nauczycielka ostrożnie wyrywa kilka łodyg pokrzywy i układa je na trawie. – Nawet owce i kozy, które zjadają właściwie wszystko, nie ruszają pokrzyw. Dopiero gdy nie ma już nic innego i zwierzęta są bardzo głodne, dopiero wtedy zjadają pokrzywę.

Pani Łącka bierze w rękę owiniętą szalem jedną z gałązek i podnosi ją w górę, żeby wszyscy dokładnie widzieli jej listki.

– Widzicie małe delikatne włoski na łodyżce i na listkach? Właściwie to nie są żadne włoski, ale setki maleńkich trujących strzał. Chronią one roślinę przed wrogami. Jeśli jakieś zwierzę chce ją pożreć albo człowiek wyrwać z ziemi, pokrzywa wystrzeliwuje swoje strzały. Wypełnione są one kwasem mrówkowym. Ten kwas sprawia, że skóra piecze i czerwienieje.

– Ale po co właściwie ktoś chciałby wyrywać taką głupią roślinę? – dziwi się Janek.

Pani Łącka uśmiecha się.

– To bardzo proste. Żeby ją zjeść! Kiedyś ludzie bardzo często jedli pokrzywę, na przykład przygotowaną tak jak szpinak. Chodźcie do kuchni. Pokażę wam, jak się przyrządza pokrzywowy szpinak.

– O nie! Musimy? – marudzą dzieci. – Przecież nawet kozy nie chcą jeść pokrzyw.

Ale nauczycielka już rusza w stronę szkolnej kuchni.

Dwie kucharki przygotowują właśnie sos pomidorowy i spaghetti na obiad.

– Co pani tam ma? – dziwi się jedna z nich, krzywiąc się z obrzydzenia.

– Pokrzywę. Zrobię z niej szpinak.

Kucharka odskakuje przestraszona.

– Proszę uważać, żeby pani się nie poparzyła, pani Łącka.

Wszyscy stają pod ścianą i przyglądają się, jak nauczycielka wkłada gumowe rękawice, wrzuca pokrzywę do zlewozmywaka i myje ją pod zimną wodą. Potem obrywa listki z łodyżek i wrzuca do garnka z wrzątkiem.

– Proszę, prawie gotowe. Jeszcze parę minut i szpinak będzie pyszny.

Za plecami nauczycielki Kasia puka się palcem w czoło. Dzieci kiwają głowami. Nauczycielka zwariowała, to pewne.

Pani Łącka odlewa wodę i prosi kucharkę o kwaśną śmietanę, sól, gałkę muszkatołową i pieprz. Wszystko to dodaje do garnka i chwilę miesza. Na koniec bierze małą łyżeczkę i wącha zawartość. Wkłada sobie całą łyżkę do ust i żuje z przyjemnością. Wszyscy wstrzymują oddech. Czy nauczycielka zacznie zaraz ziać ogniem? Nie. Nic się nie dzieje. Teraz pani Łącka nabiera na łyżeczkę kolejną porcję i podsuwa ją Luizie.

– Spróbujesz, Luizko?

– Chętnie, proszę pani.

Luiza próbuje parzącego szpinaku z pokrzyw. Uśmiecha się.

– Naprawdę pyszny! – mówi.

Dzieci ze zdziwienia aż pootwierały usta.

– Nie bójcie się. Pokrzywy wystrzeliły cały swój kwas mrówkowy do gotującej się wody. Teraz już nie będzie bolało, jak ich dotkniecie czy weźmiecie do buzi – wyjaśnia pani Łącka, wykładając szpinak na miseczkę. A potem bierze jeszcze łyżeczkę i zjada ze smakiem.

– Hm, pyszne.

Wszyscy przyglądają się, jak nauczycielka z przyjemnością wznosi oczy do nieba i macha łyżką, jakby w takt muzyki, którą słyszy tylko ona.

Dzieci są coraz bardziej zainteresowane.

– Ja też chcę! I ja!

Janek, Kasia, Karolek przeciskają się do miski.

– Chwileczkę! – Nauczycielka śmieje się. – Po kolei, proszę. Wystarczy dla wszystkich.

– Smakuje naprawdę dobrze. Trochę gorzko – uważa Marcin.

– Moim zdaniem jest fantastyczny – mówi pani Łącka. – Świetnie, Luizo. Dobrze odrobiłaś zadanie domowe.

Czarodziejska zupa wiosenna

Składniki:

por,

3 łyżki stołowe masła,

5 łyżek płatków owsianych,

1 litr wywaru z warzyw,

pokrzywy, zerwane własnoręcznie.

Poproś osobę dorosłą o pomoc w przyrządzeniu zupy.

Najlepszą porą na zbieranie ziół jest wiosna. Młode łodyżki i listki nie tylko wspaniale smakują, ale są też prawdziwymi bombami witaminowymi. Ponieważ zioła mają takie dobroczynne działanie, dawno temu ludzie wierzyli, że można z ich pomocą czarować. A dobra wiosenna zupa naprawdę potrafi zdziałać cuda.

Włóż grube rękawice i weź woreczek uszyty z materiału. **Pokrzywy** rosną wszędzie przy płotach, ścianach domów i w cieniu drzew. Jeśli nigdy wcześniej nie zdarzyło ci się zbierać ziół, zaproś do pomocy kogoś, kto się na tym zna. **Pokrzywy** mają charakterystyczne ciemnozielone ząbkowane liście i bardzo łatwo je rozpoznać. Poza tym wystarczy przeprowadzić test: dotknąć krzaczka gołą ręką – jeśli kłuje i piecze, to znaczy, że to właśnie pokrzywa. Ważne, żeby zbierać zioła tam, gdzie nie jeżdżą samochody. Ich spaliny gromadzą się bowiem w roślinach i są szkodliwe.

41

W domu dokładnie umyj **pokrzywy** zimną wodą (nie zapomnij o gumowych rękawicach). Umyj też pora, pokrój w talarki i uduś na maśle. Dodaj wywar z warzyw i płatki owsiane. Gotuj to wszystko dziesięć minut. Na koniec pokrój drobno **pokrzywy**, dorzuć do garnka, gotuj jeszcze chwilę i gotowe!

Po zjedzeniu porcji takiej zupy awans na króla strzelców w podwórkowej drużynie piłki nożnej albo mistrzynię jazdy na rowerze jest pewny jak dwa razy dwa.

Głęboko pod ziemią

Chmury, chmury, chmury! Gdzie spojrzeć – wszędzie chmury. Halinka przyciska nos do szyby w przyczepie kempingowej. Dzisiaj znowu nici z kąpieli i pływania kajakiem.

– Ależ głupie wakacje! – Dziewczynka nie ma już ochoty wyglądać przez okno.

Tata stawia na stole koszyk ze świeżymi bułeczkami. Halinka siada obok niego.

– Super, tato, gotowane jajka! – cieszy się. Jajka na miękko to jej ulubione śniadanie. Dziewczynka zdejmuje łyżeczką górną część skorupki. – Podasz mi sól?

Tata wstaje i uderza się głową o czerwoną szafkę.

– Ojej. Ta głupia przyczepa jest o wiele za wąska! – Rozciera sobie głowę, zdejmuje sól z szafki i podaje ją córce.

– Nie lubię jajek bez soli – stwierdza dziewczynka.

– Ja też nie – zgadza się tata, potrząsając mocno solniczką. – Och! Ona jest całkiem pusta!

Halinka krzywi się niezadowolona.

– Poczekaj – mówi tata. – Na pewno została jeszcze resztka dla ciebie. – Odkręca nakrętkę i rzeczywiście w środku znajduje się jeszcze kilka maleńkich ziarenek. Tata ostrożnie wysypuje je na jajko Halinki.

– A właściwie skąd się bierze sól? – pyta dziewczynka.

Tata gryzie wielki kęs kanapki z serem.

– Z supermarketu – mruczy niewyraźnie, żując bułkę.

– Tak, ale zanim znajdzie się w sklepie – skąd się bierze?

Tata prostuje się na swoim krześle i wygląda przez okno. Patrzy w lewo, potem w prawo, a na koniec w górę.

Halinka wstaje z krzesła, podchodzi do okna i również wygląda na dwór. Ale na dworze nic nie widać. A już na pewno nie ma tam żadnej soli.

– Halinko, widzisz tę wielką górę tam w oddali? – Tata pokazuje wysokie wzniesienie, którego wierzchołek ginie w chmurach. – To jest solna góra. Z niej pochodzi sól.

– A jak ona się z tej góry wydostaje? – dopytuje się dziewczynka.

Tata uśmiecha się.

– Dobre pytanie. – Potem rozkłada laptop i włącza go. – Nie pamiętam tego tak dokładnie. Wiem tylko, że sól ukryta jest pod tą górą, jak tajemny skarb. Trzeba kopać bardzo głęboko, jeśli się chce ją wydobywać. – Tata patrzy na ekran komputera. – Popatrz. Tę kopalnię można zwiedzać. Co ty na to, żebyśmy się dzisiaj tam wybrali? Pada deszcz, a więc ani ty, ani Eliza nie możecie się kąpać w jeziorze.

Halinka zgadza się natychmiast. Szybko zjada śniadanie i biegnie do sąsiedniej przyczepy, do Elizy. Jej rodzice nie mają nic przeciwko temu, żeby córka jechała na wycieczkę z Halinką i jej tatą.

Tata pozmywał po śniadaniu i wszyscy troje wyruszają w drogę. Są bardzo ciekawi, co zobaczą. Żadne z nich nie było wcześniej w kopalni soli. Tata parkuje samochód naprzeciwko wejścia, gdzie znajduje się kolejka, którą wjeżdża się do kopalni.

– Sól wydobywa się tutaj od wielu tysięcy lat. Zaczęto w epoce kamienia – wyjaśnia tata.

– Ale skąd sól wzięła się w tej górze? – dziwi się Eliza.

– Zaczekaj, aż będziemy na miejscu. Jest tam niewielkie muzeum, w którym znajdziemy wszystkie informacje.

Dziewczynki wsiadają z tatą do kolejki. Wagonik ma duże okna sięgające aż do podłogi i można przez nie oglądać jezioro i leżące po drugiej stronie szczyty górskie.

Na górze, przed wejściem do muzeum, czeka już tłum ludzi z plecakami i aparatami fotograficznymi. Młoda kobieta, ubrana w granatowy strój górniczy i w czapce z daszkiem na głowie, wita zgromadzonych.

– Dzień dobry. Mam na imię Nina i oprowadzę państwa po muzeum, a potem po kopalni soli. – Przewodniczka zatrzymuje się przed zdjęciem przedstawiającym solną górę.

– Wiele milionów lat temu, kiedy na świecie nie było jeszcze ludzi, w miejscu, gdzie teraz wznosi się solna góra, znajdowało się wielkie morze. A w morzu, wszyscy o tym wiedzą, jest co?

– Sól! – wyrywa się Halince.

– No właśnie. Morze wyschło, a wielkie ilości soli zostały po prostu na dnie. Potem występowały silne trzęsienia ziemi i nagle wyrosły pasma górskie, które znajdują się wokół nas, czyli Alpy. Góry przykryły sól znajdującą się na dnie morza i zamknęły ją w sobie. Teraz sól znajduje się głęboko pod ziemią i trzeba ją kopać w kopalni.

Nina prowadzi zwiedzających do pomieszczenia, w którym stoi kilka olbrzymich szaf. Każdy otrzymuje odpowiednią odzież ochronną.

Również obie dziewczynki muszą włożyć stosowne kombinezony robocze.

– We wnętrzu góry jest zimno i wilgotno, a taki kombinezon ogrzeje państwa i będzie chronił przed zabrudzeniem i wilgocią – wyjaśnia przewodniczka.

Wszyscy idą teraz za Niną do wielkiej drewnianej bramy. Za nią znajduje się długi ciemny korytarz, prowadzący w głąb góry. Nic w nim nie widać, a ziemia jest niebezpiecznie śliska. Eliza i Halinka trzymają się mocno za ręce, żeby się nie przewrócić. Przewodniczka idzie przodem, oświetlając drogę dużą latarką; strumień światła omiata korytarz i jego lśniące od wilgoci skalne ściany.

– Już siedem tysięcy lat temu ludzie wiercili tunele w zboczach góry. Oczywiście nie mieli wtedy specjalnych wierteł ani maszyn. Robili to za pomocą rogów jeleni i haków wykonanych z brązu. Wydłubywali ze ścian jaskiń zawierającą sól skałę, wkładali ją do worków ze skóry i wydobywali na zewnątrz.

– To na pewno było bardzo niebezpieczne – szepce Eliza.

– I to jak! Wielu ludzi zostało w trakcie tych prac zasypanych odłamkami skał. Ale sól była wtedy bardzo droga i dlatego ludzie podejmowali to ryzyko – tłumaczy Nina. – Nazywano ją wcześniej białym złotem. Wymieniało się ją na prawdziwe złoto i na brąz. Ludzie, którzy wydobywali sól w kopalniach, stawali się bardzo bogaci. To była nagroda za ich wielką odwagę.

Wreszcie Halinka, Eliza i pozostali zwiedzający dotarli do końca sztolni, do niewielkiego pomieszczenia przypominającego jaskinię. Na jednej ze ścian znajduje się coś w rodzaju zrobionej z drewna zjeżdżalni. Dokąd ona prowadzi i jaką ma długość – tego niestety w ciemności nie widać. Halinka czuje wzbierający strach.

– Chodźcie, zjedziemy razem – proponuje tata. Eliza i Halinka siadają między jego nogami, a tata trzyma je mocno. – Nie bójcie się. Nic nam się nie stanie! – I już pędzą we trójkę w dół. Zjeżdżają bardzo szybko,

a trwa to o wiele
dłużej niż ślizg wielką
zjeżdżalnią w parku
wodnym.

Kiedy docierają
na dół, serce Halinki
bije jak oszalałe. Teraz idą
na piechotę ciemną sztolnią.
Korytarz powoli rozszerza
się i wreszcie wszyscy trafiają
do ogromnej jaskini, na której
środku lśni wielkie, głębokie
jezioro. Mieniąca się
ciemnozielono i czarno
woda jest tak przejrzysta,
że doskonale widać dno.

– Dzisiaj nie ma już
potrzeby wydobywania
soli ze ścian kopalni.
Po prostu pompuje się
wodę do ługowni i tam sól jest wymywana.
Woda płynie rurą z głębi góry do doliny i tam
zbiera się w wielkim zbiorniku. Następnie jest
podgrzewana, a kiedy cała woda wyparuje, zostają
gotowe kryształki soli. Miele się je drobno i sprzedaje
jako sól kuchenną. – Gdy przewodniczka mówi, z jej
ust wydobywają się obłoczki pary. Tak zimno jest tutaj
w głębi góry. Teraz Halinka bardzo się cieszy, że ma na sobie
kombinezon ochronny.

Nina prowadzi grupę dalej w głąb sztolni, aż dochodzą
do niewielkiej jaskini, w której znajduje się skalny nawis,
wyglądający jak daszek. Pod daszkiem są lampy skierowane na skalne
ściany. W ich świetle sól znajdująca się w skale lśni czerwonym
i pomarańczowym blaskiem.

– Jakie to piękne! – zachwyca się Halinka. – Wygląda dokładnie tak, jak lampa solna, którą babcia kupiła na jarmarku bożonarodzeniowym.

– Masz rację. Takie lampy wykonywane są z kryształów soli, tworzących się poprzez odparowanie wody. To już wiecie. A kiedy odparowuje się bardzo dużo wody, tworzą się bardzo duże kryształy. Konserwują one wszystko to, co znajduje się w ich środku. Konserwowanie oznacza przedłużanie przydatności do spożycia. Produkty spożywcze natarte solą na długo zachowują świeżość, można je przechowywać i się nie psują. Dotyczy to mięsa, ryb, ale również ogórków.

Halinka kiwa głową.

– Tata bardzo lubi śledzie. I ogórki kiszone.

– Dawno temu jeden z mężczyzn, którzy tutaj pracowali – opowiada przewodniczka – został przysypany zwałem soli i odłamków skalnych. Setki lat później odnaleziono biedaka w kopalni. Oczywiście od dawna już nie żył, ale nie rozpadł się w proch, tak jak to się dzieje z wszystkimi stworzeniami po śmierci. Sól zakonserwowała go i w dniu, w którym go odkopano, wyglądał dokładnie tak samo, jak wtedy kiedy zginął…

– Uff, makabryczna historia. – Eliza aż wstrząsnęła się ze strachu.

Przewodniczka przyznaje jej rację.

– Zgadza się, ta historia jest niesamowita. O tym człowieku z soli, jak się go nazywa, wymyślono bardzo dużo baśni i opowieści. Ale jest w niej też coś wspaniałego. Dzięki konserwującej sile soli wiemy, jak ci ludzie – setki lat temu wydobywający sól z ziemi – wyglądali, jakich używali narzędzi i jak się ubierali.

Chwilę później cała grupa turystów dochodzi do jaskini, w której czeka na nich kolejka elektryczna. Zwiedzający wsiadają do wagoników. Eliza i Halinka mają miejsce z przodu obok przewodniczki. Nina przesuwa wajchę i kolejka rusza przed siebie z cichym buczeniem. Halinka cieszy się, że nie muszą iść na piechotę. Teraz, kiedy już siedzi, czuje, jak bardzo bolą ją nogi. A poza tym są przemoczone i zmarznięte. Ale im dłużej jedzie kolejka, tym cieplej robi się w środku. To znak, że zbliżają się do wyjścia i że niedługo wyjadą z wnętrza góry na powierzchnię. I rzeczywiście parę minut później Halinka dostrzega światła końca sztolni.

W pomieszczeniu, w którym dziewczynka i pozostali zwiedzający muszą przebrać się i zwrócić kombinezony, jest przyjemnie ciepło.

– A gdzie jest twój tata? – pyta Eliza.

– Nie mam pojęcia. Chyba nie został w kopalni? – Halince na myśl o tym robi się słabo.

– Twój tata już wyszedł i jest na zewnątrz w sklepiku – uspokaja ją Nina.

Faktycznie tata stoi w długiej kolejce przy kasie. Trzyma w ręce dużą niebieską torebkę i podnosi ją w górę, mówiąc:

– Kupiłem jeszcze szybko sól, bo inaczej jutro znowu nie mielibyśmy czym posolić jajek na śniadanie.

Kącik wiedzy

Sól znajduje się prawie we wszystkim, co jemy: w chlebie, w wędlinach, w serze, ale często również w ciastkach i cieście, a więc w produktach, które właściwie nie mają słonego smaku. Również w naszym ciele znajduje się **sól**. Mniej więcej łyżeczkę zawiera nasza krew. **Sól**, a właściwie występujące w niej minerały, jest dla organizmu bardzo ważna. Tracimy ją, gdy dużo się pocimy lub płaczemy. Na pewno wiesz już, jak smakują łzy – są słone. Również kiedy się intensywnie spocisz i poliżesz rękę, poczujesz słony smak. Wraz z potem wypłukiwane są z naszego ciała kryształki **soli**. Potrzebujemy ich jednak, by związać wodę w organizmie. Kto je zbyt mało **soli**, traci zbyt dużo płynów i wysycha. Również zwierzęta wiedzą o tym i chętnie liżą **sól**. Krowy i owce otrzymują dodatkowo – oprócz swojego zwykłego pożywienia – lizawki, czyli bloki solne do lizania. Dzikie zwierzęta, które żyją w lasach – takie jak jelenie, sarny, kozice i koziorożce – korzystają z naturalnych złóż soli występujących w ziemi albo w skałach lub posiłkują się lizawkami ustawianymi dla nich obok paśników przez leśniczych.

Gdzie rośnie czekolada?

Boguś niecierpliwie przestępuje z nogi na nogę. Pudło stojące obok regału ze słodyczami pełne jest tabliczek czekolady. Leżą obok siebie w trzech rzędach. Są niewiele większe od dłoni Bogusia, ale rozsiewają wspaniały zapach, który krąży wokół nosa chłopczyka i nie chce go puścić. Delikatny i tajemniczy, i troszeczkę waniliowy.

Tabliczki czekolady zapakowane są w kolorowy papier. Na czerwonym opakowaniu widnieje biały kwiat, którego płatki wyglądają jak drogocenne perły. Na zielonym znajduje się tańczący mężczyzna w kapeluszu z piór, a na brązowym owoc przypominający melon. Boguś zamyka oczy i wdycha głęboko aromat czekolady. Czuje w nosie łaskotanie. Hm. Najchętniej wgryzłby się w smakołyk, nawet nie zdejmując papierka.

– Chodź, Bogusiu. Musimy już iść. Mariusz na nas czeka. – Mama stanęła obok chłopczyka. Kładzie mu dłoń na plecach i popycha delikatnie w stronę kasy.

Boguś pokazuje mamie czekoladę.

– Kupmy ją. Dla Mariusza, na prezent. Proszę, mamo.

Mama bierze do ręki tabliczkę i czyta.

– Ależ ona jest droga! – dziwi się.

– Bo to jest specjalna czekolada – mówi pani przy kasie.

Po paru minutach Boguś i mama siedzą już w autobusie. Ufff! Strasznie dzisiaj gorąco. Autobus jedzie bardzo długą ulicą, na której znajduje się mnóstwo sklepów. Boguś obraca w rękach tabliczkę czekolady.

– Kiedy dojedziemy na miejsce? Taki jestem głodny.

Mama śmieje się.

– Przecież dopiero co jedliśmy śniadanie, synku. Podejrzewam raczej, że masz ochotę na czekoladę. A ona jest przecież dla Mariusza, prawda?

Boguś wierci się na fotelu i robi smętną minę. Czy Mariusz ucieszy się z prezentu? Sreberko szeleści delikatnie, gdy chłopczyk gładzi je palcami, a melon na obrazku lśni żółtym blaskiem na brązowym papierze. Boguś nie może się powstrzymać. Delikatnie odsuwa sreberko. Teraz widzi maleńki kawałeczek brązowo-czarnej lśniącej czekolady. Pachnie korzennie i trochę też pomarańczowo.

– Jeśli zjesz tę czekoladę, nie będziesz miał żadnego upominku dla Mariusza. – Mama spogląda na synka ponad krawędzią okularów przeciwsłonecznych.

Boguś zwiesza smętnie głowę. To prawda! Chłopczyk bardzo lubi Mariusza. A więc ponownie zawija odchylone sreberko i wkłada tabliczkę do plecaka.

Za oknem pojawia się teraz wielki park. A potem restauracja, której wejścia strzegą dwa kamienne lwy. Tutaj trzeba wysiąść, jeśli chce się odwiedzić Mariusza.

– Jesteście wreszcie, a ja już myślałem, że sam będę musiał iść do parku linowego. – Mariusz przechyla się przez poręcz i przygląda się, jak mama i Boguś wspinają się schodami, sapiąc po drodze jak lokomotywy. Potem rozkłada ramiona i kiedy Boguś próbuje go objąć, padają razem do tyłu.

– Coś ci przyniosłem – mówi chłopczyk, zrywając się na równe nogi. Z dumą otwiera plecak i sięga do środka. Ale co to? Czekolada jest miękka jak plastelina. A tam gdzie dotyka jej Boguś, robi się cienka i płaska.

– Ojej – martwi się mama. – Jest tak gorąco, że czekolada się roztopiła. Jaka szkoda.

Boguś jest i wściekły, i smutny jednocześnie. Przecież chciał sprawić radość Mariuszowi.

– Ale to jest superprezent, Bogusiu, bardzo cenny! – pociesza go Mariusz.

Chłopczyk czuje ulgę. Dobrze, że Mariusz jest zadowolony z upominku.

– A dlaczego nie zjesz jej od razu?

Mariusz delikatnie kładzie miękką tabliczkę na dłoni i niesie ją do lodówki.

– Później, Bogusiu, najpierw czekolada musi w lodówce ponownie stwardnieć. A poza tym potrzebuję czasu, żeby się rozkoszować tym przysmakiem.

Boguś robi bardzo rozczarowaną minę.

– Po co ci czas na taką małą tabliczkę? Robisz hap, hap i cała czekolada znika – dziwi się.

– Ta czekolada jest wyjątkowa. Zrobiona jest z bardzo delikatnych ziaren.

Chłopczyk marszczy czoło. Już niczego nie rozumie.

– Z ziaren? Ale przecież ziarna są żółte. I dlaczego właściwie czekolada się roztopiła?

Mariusz opiera się plecami o lodówkę i krzyżuje ramiona na piersi.

– Czekoladę robi się z ziaren kakaowca, a one są brązowe. A topi się, ponieważ… ponieważ…

– Ponieważ mielone ziarna mieszane są z masłem kakaowym – kończy zdanie mama.

– A gdzie rosną te ziarna? – dopytuje się Boguś.

Mariusz bierze chłopczyka za rękę.

– Wiesz co? Tam w parku znajduje się wielka szklarnia i rośnie w niej prawdziwe kakaowe drzewo.

– Świetnie! – cieszy się mama i kładzie Mariuszowi dłoń na plecach. – Boguś i ja jeszcze nigdy nie widzieliśmy kakaowca. Co ty na to, synku, miałbyś ochotę tam pójść?

I to wielką.

Przy wejściu do parku Mariusz studiuje tablicę z objaśnieniami i strzałkami. Pokazuje ręką kierunek, gdzie znajduje się szklarnia. Boguś rusza pędem w tamtą stronę. Zbiega z niewielkiego pagórka i pokonuje mostek. I wreszcie zatrzymuje się przed podłużną budowlą, która właściwie składa się z wielkich okien.

W środku widzi kłębowisko roślin i liści. Duże, długie, małe, grube, wąskie – wszystkie starają się przecisnąć do światła i znaleźć jak najbliżej okna.

Na szczycie pagórka pojawiają się mama z Mariuszem. Ależ oni wolno idą! Boguś macha do nich ręką, naciska klamkę i znika w szklarni.

W środku duszno niczym w prawdziwej dżungli! Jest tak gorąco i wilgotno, że Boguś ma kłopoty z oddychaniem.

– Szukam drzewa czekoladowego – mówi do chudego mężczyzny stojącego przy wejściu. – Gdzie ono rośnie?

Mężczyzna drapie się po ręce. Jego palce są brązowe od ziemi.

– Masz na myśli kakaowiec? Rośnie tam, zaraz za stawem.

Boguś człapie wąską żwirowaną ścieżką. Czy tutaj są również niebezpieczne zwierzęta? Słychać dziwne szelesty i pluski. Ale to tylko krople wody spadają z liści. Boguś zatrzymuje się obok stawu i rozgląda wokół. Przed sobą widzi drzewo o wąskim rozgałęziającym się pniu i drobnych listkach. Zamiast czekolady rośnie na nim na samej górze wiele błyszczących żółtych owoców. Wyglądają dokładnie tak samo jak owoc na opakowaniu czekolady, którą Boguś dał w prezencie Mariuszowi. A na pniu rośnie również wiele wspaniałych białych kwiatów. Te kwiatki Boguś również zna. Były na czekoladzie w czerwonym opakowaniu.

– Aha, już znalazłeś kakaowiec.

Boguś ogląda się. Mariusz i mama stoją za nim. I ten mężczyzna sprzed wejścia również.

– Nie jestem pewien, czy to właściwe drzewo – mruczy chłopczyk. – Nie rosną na nim żadne ziarna.

– Ależ rosną. – Mężczyzna pochyla się w stronę Bogusia. – Widzisz te żółte owoce wysoko na pniu?

– Te, które wyglądają jak melony?

– No właśnie. To są owoce kakaowca, a w nich znajdują się ziarna. Jest ich bardzo dużo i są gęsto ułożone jedno obok drugiego. Tak jak pestki w melonie.

– A jak zrywa się te owoce z takiej wysokości? – dopytuje się Boguś.

– W Afryce i Ameryce Południowej, gdzie kakaowce rosną w tropikalnych lasach, robotnicy na plantacjach ścinają owoce sierpami na długich trzonkach. Jest to bardzo ciężka i bardzo niebezpieczna praca.

– Nie ma do tego specjalnych maszyn? – pyta mama, robiąc jednocześnie zdjęcia drzewa kakaowego.

– Niestety nie. Kakao jest takie drogie, ponieważ zbiór owoców odbywa się ręcznie. Brązowe złoto – tak handlarze nazywają ziarna kakaowca.

Boguś wyciąga szyję.

– Szkoda, że te owoce są tak bardzo wysoko. Mógłbym sobie kilka wziąć i zrobić w domu czekoladę.

– Chodź – zaprasza mężczyzna w kombinezonie. – Tam obok wejścia, przy kasie, mam coś dla ciebie. – W małym biurze tuż obok drzwi wejściowych mężczyzna wyciąga z biurka szufladę. Wyjmuje z niej zdobioną kwiatami metalową puszkę. Kiedy ją otwiera, dobiega z niej cichy brzęk. Znajdują się w niej jasno- i ciemnożółte ziarna kakaowe. Pachną po prostu oszałamiająco.

– Czekolada!

– No, nie całkiem. – Mężczyzna przesypuje ziarenka przez palce. – Ziarna trzeba wydostać z owoców. Robi się to, wydłubując je nożem ze środka. Następnie suszy się je na słońcu. A potem ładuje się na statki i przewozi do nas.

– Do fabryk czekolady! – uzupełnia Boguś.

– Właśnie. W nich znajdują się specjalne maszyny, które te ziarna palą i mielą. Większość producentów ma swoje tajne receptury, według których od setek lat wytwarzają czekoladę.

Mężczyzna wysypuje z puszki na rękę Bogusia trzy ziarenka. Chłopczyk bierze jedno z nich w palce i próbuje je rozgryźć.

– Fuj, jakie to gorzkie!

Mężczyzna uśmiecha się.

– To dlatego, że w ziarnach kakao nie ma cukru. Dopiero dodatek cukru sprawia, że czekolada robi się słodka.

W domu Mariusz stawia na palniku patelnię i układa na niej dwa ziarenka kakao. Trzeba je było palić dwadzieścia minut, aż pękła twarda łupinka i ziarenka pachniały jeszcze mocniej. Teraz Mariusz wrzuca je do moździerza i ściera na proszek. A ponieważ dwa ziarenka to stanowczo za mało, by zrobić z nich solidną porcję czekolady, Mariusz dodaje do nich jeszcze kilka łyżek gotowego kakao ze sklepu z ekologiczną żywnością. Mama bierze z lodówki olej kokosowy i wkłada go do garnuszka. Boguś miesza delikatnie, aż pod wpływem gorąca tłuszcz całkiem się roztapia. Teraz trzeba dodać proszek kakaowy i trochę cukru.

– Jeśli chce się zrobić dobrą czekoladę, najważniejsze jest długie mieszanie masy. – Mariusz wyczytał tę informację w niewielkiej książeczce, którą kupił sobie w szklarni. – Tylko wtedy, gdy mieszało się ją odpowiednio długo, rozpływa się w ustach.

Mariusz dodaje do masy trochę cukru waniliowego i szczyptę cynamonu. Masa pachnie tak cudownie, że Bogusiowi ślinka napływa do ust. Mama wyłożyła niewielką foremkę herbatnikami, a Boguś przelewa gotową płynną masę na ciastka.

– To jest nasz deser na wieczór – oświadcza Mariusz i wstawia formę do lodówki.

Po kolacji nadchodzi wreszcie oczekiwana pora.

– Uwaga, uwaga, proszę zrobić miejsce na nasz deser. – Mariusz wyjmuje foremkę z lodówki i stawia ją na stole. Boguś wdycha wspaniały aromat. Czekolada pachnie tajemniczo wanilią i cynamonem. Teraz wszyscy troje w spokoju rozkoszują się samodzielnie zrobionym rarytasem. Bo zdaniem Bogusia czekolada jedzona w pośpiechu w ogóle nie smakuje.

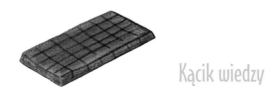

Dla pierwotnych mieszkańców Ameryki Południowej: Olmeków, Azteków i Inków, ziarna kakaowe były tak cenne jak złoto. Używali ich jako środka płatniczego, jako lekarstwa i jako podstawy napoju zwanego *chocolatl*. Palili nad ogniem rozgniecione ziarna kakaowca, ubijali je następnie z wodą aż do utworzenia piany i dodawali przyprawy. Kiedy hiszpański odkrywca Ferdynand Cortez po raz pierwszy przybył do Meksyku, król Azteków Montezuma podarował mu oprócz złota również ziarna kakao. Cortez zabrał je ze sobą do Europy.

Ale droga do wyprodukowania z nich **czekolady** była jeszcze bardzo daleka. Na początku tylko bardzo bogaci ludzie mogli pozwolić sobie na drogocenne ziarna. Kakao było więc napojem królów i księżniczek. Dopiero od mniej więcej stu lat wszystkich mieszkańców Europy stać na **czekoladę**. Ludzie w Ameryce Południowej czy w Afryce, którzy uprawiają drzewa kakaowca i zbierają jego owoce, są przeważnie tak biedni, że nie próbują **czekolady**. Żeby zaprotestować przeciwko ich wyzyskowi, wiele osób kupuje **bioczekoladę** z plantacji, na których, pracownicy są traktowani uczciwie i sprawiedliwie opłacani. A to, na przykład, oznacza, że niebezpiecznej pracy nie wykonują tam dzieci oraz że robotnicy otrzymują tyle pieniędzy, żeby ich dzieci nie musiały chodzić do pracy, tylko uczyły się w szkole.

Poza tym kakaowiec na bioplantacjach uprawiany jest bez użycia nawozów sztucznych i środków owadobójczych. To ma bardzo korzystny wpływ na lasy tropikalne i na ludzi.

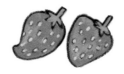

Truskawkowe marzenie

WIELKI FESTYN TRUSKAWKOWY! – napisane jest kolorowymi literami na plakacie wiszącym na ścianie wiaty. Pod spodem – namalowana czerwonym mazakiem uśmiechnięta truskawkowa buzia. Jola zatrzymuje rower i przygląda się. Z pewnością ten plakat wisi tutaj już dłuższy czas. Ale dziewczynka wcześniej go nie zauważyła. Tylna ściana wiaty na rowery w podwórku zawsze pełna jest różnych ulotek i informacji. Kto chce sprzedać wózek dziecięcy albo szuka niani, wiesza tutaj po prostu swoje ogłoszenie.

„Gotujemy, pieczemy i jemy pyszności, które można wyczarować z truskawek – popuśćcie wodze fantazji! Przynieście swoje ulubione potrawy i cieszmy się nimi wspólnie. Przebieramy się, malujemy i śpiewamy piosenki o truskawce! Za najpyszniejszą truskawkową potrawę – wielka truskawkowa nagroda!"

Joli bardzo się podoba to ogłoszenie. Po pierwsze dlatego, że lubi truskawki, a po drugie – ponieważ lubi śpiewać i przebierać się.

– Cześć, Jolu. Przyjdziesz na truskawkowy festyn? – To Eryk. Sapiąc, taszczy przez trawnik dwa składane krzesełka. Jego buzia poczerwieniała z wysiłku

 i wygląda jak dojrzała truskawka na plakacie. – Leoś i ja robimy tort śmietanowo-truskawkowy ze świeżymi truskawkami. – Eryk rzuca krzesełka na trawę i patrzy na Jolę wyczekująco.

– Raczej nie przyjdę. Moja mama jest dzisiaj na jakimś seminarium, a ja jadę do babci.

– Szkoda. Julek i Michał też będą, a tata Bartka zagra na gitarze.

Jola zdejmuje z kierownicy torbę na zakupy i opiera rower o ścianę wiaty. Zawiesza torbę na ramieniu i wbiega po schodach na górę.

– Święto truskawki? – Mama Joli czerwoną szminką maluje przed lustrem złożone w ciup usta. Teraz jej wargi przypominają dużą soczystą truskawkę.

– Proszę, mamo, pozwól mi tam pójść. Julian będzie i Eryk, i jego brat, i koniecznie chciałabym wygrać główną truskawkową nagrodę.

– No, no. – Mama wrzuca pomadkę do torebki. – Więc musisz zadzwonić do babci i powiedzieć jej, że nie przyjedziesz. Masz jeszcze pieniądze, żeby kupić truskawki?

– Mam.

Jola sięga do kieszeni i liczy monety. Z zakupów zostało jej siedem złotych i czterdzieści groszy. Tyle musi wystarczyć.

– A więc baw się dobrze, moja truskawkowa księżniczko!

Mama całuje Jolę na pożegnanie i wychodzi. Trzask! – zamykają się za nią drzwi wejściowe.

Dziewczynka podpiera brodę dłońmi i zastanawia się. Na festyn trzeba przynieść pyszności z truskawek. Ale co to właściwie są pyszności z truskawek? Jola sięga po grubą książkę kucharską z dużymi ilustracjami. Szuka litery *T* jak *truskawki*. Jakie są wspaniałe przepisy: torciki, rolady z kremem, ciasta z całymi owocami i ciasta z pianką truskawkową. Można również wyczarować koktajle z listkami mięty, lody, a nawet jogurt pitny. Jola przewraca kartki. Krem serowy truskawkowo-śmietankowy! Na fotografii widać miseczkę pełną kawałków czerwonych truskawek zanurzonych w śnieżnobiałym kremie z białego serka i śmietanki. „Truskawki umyć, obrać z szypułek, pokroić. Wymieszać z cukrem i serkiem ubitym ze śmietanką". Jola jest zachwycona. Jej serowy przysmak na pewno zdobędzie pierwszą nagrodę na najpyszniejszą potrawę na festynie.

Dziewczynka chwyta torbę na zakupy i zbiega schodami w dół. Na podwórku są Eryk i Leoś, którzy rozstawiają już krzesełka pod kasztanem. Pani Jakubik z parteru stoi na krześle i rozwiesza lampiony na gałęziach.

– Cześć, Jolu – macha do niej ręką. – Możesz nam pomóc?

– Zaraz! Muszę iść po truskawki do sklepu.

Jola sprawdza godzinę w telefonie komórkowym. Wpół do dwunastej. Ma jeszcze dość czasu na zakupy i przygotowanie kremu. Biegnie do furtki, potem skręca w lewo do sklepu. W supermarkecie rusza prosto do stoiska z owocami. Ale co to? Dziewczynce mocniej bije serce. Tam gdzie jeszcze rano stało mnóstwo łubianek z truskawkami, jest teraz całkiem pusto. Nie ma ani jednego pojemnika. Tylko na dnie regału leży jeden zapomniany czerwony owoc.

– A gdzie się podziały te wszystkie truskawki? – pyta Jola sprzedawcę.

– Niestety wszystko wyprzedane. – Zakłopotany ekspedient wyciera dłonie o biały fartuch.

Och, nie! Tego tylko brakowało! Jola potrzebuje truskawek. I to szybko!

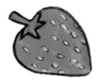

– Może dostaniesz jeszcze jakieś w sklepie warzywniczym na ulicy Kasztanowej – podpowiada jej sprzedawca.

Jola biegnie do regału z nabiałem. Kupi przynajmniej serek i śmietankę. Płaci za nie przy kasie i pędzi do sklepu warzywniczego, który znajduje się zaraz za rogiem. Przez szybę wystawową dostrzega stojące na ladzie czerwone koszyczki. Truskawki! Na szczęście. Hm, co za zapach! Pachnie polem pełnym owoców.

Jola podnosi koszyczek i przykłada do nosa. Coś żółtego spada na ziemię tuż u jej stóp. Plakietka z plastiku, a na niej cena. „Truskawki ekologiczne 4,50 zł". Jola nie ma tyle pieniędzy. I co teraz?

Dziewczynkę pieką oczy, czuje, jak skręca ją w żołądku. Bez truskawek nie może się pojawić na festynie! A przecież znalazła taki pyszny przepis!

W tym momencie dzwoni jej telefon.

– Dziecko, co się z tobą dzieje. Dlaczego się nie odzywasz?

– Babciu! – Dziewczynka pociąga nosem.

– A czemu ty masz taki dziwny głos? – niepokoi się babcia.

Jola wzdycha, a potem opowiada o wszystkim babci. Szybko i bezładnie mówi o truskawkowym festynie, o Eryku i Julku, o kremie serowym z truskawkami i o tym, ile kosztują owoce w sklepie warzywniczym.

– Rozumiem – mówi babcia, gdy Jola skończyła. – Cztery pięćdziesiąt za pół kilograma owoców to naprawdę zdzierstwo. Wiesz co? Pojedziemy na plantację truskawek.

Jola czeka przy furtce przed domem. Wreszcie babcia zajeżdża swoim samochodem. Również dziadek wybrał się z nimi na wycieczkę. Siedzi z tyłu, co jest z pewnością niezbyt wygodne, ponieważ dziadek ma bardzo długie nogi. Ale i on, i babcia wiedzą, jak bardzo Jola lubi siedzieć z przodu.

Babcia całuje wnuczkę w policzek i dodaje gazu.

– Cześć, dziadku – wita się dziewczynka. Na tylnym siedzeniu stoją dwie wieże zbudowane z łubianek.

– Czy mamy je wszystkie zapełnić truskawkami? – pyta Jola.

– Oczywiście. Taka wycieczka na pole truskawkowe musi się opłacać. A do tego to ekologiczne truskawki. Hmmm, pycha – rozmarzył się dziadek. – Są najlepsze.

Jola patrzy na zegarek na nadgarstku babci. Ojej, już prawie wpół do pierwszej. Czy zdążą na festyn?

– Nie martw się – uspokaja ją babcia, jakby czytając w myślach dziewczynki. – Jeśli się trochę spóźnisz, nie będzie żadnej tragedii. Znasz tę zasadę: najlepsi goście przychodzą na koniec.

Chwilę później dojechali do gospodarstwa ekologicznego. Wielki parking przed sklepem wypełniony jest samochodami.

– Jak dużo aut – jęczy Jola. – Jeśli ci wszyscy ludzie zrywają truskawki, to dla nas już nie wystarczy.

– Nie bój się. Starczy dla każdego – stęka dziadek, gramoląc się z samochodu. – Chodźmy tędy.

Pole truskawkowe jest ogromne. Właściwie są to cztery pola oddzielone od siebie niskimi płotkami z siatki. Krzaczki truskawek rosną w niekończących się rzędach. Między poszczególnymi szeregami roślinek ciągną się wyłożone słomą ścieżki.

Dziadek sięga ręką do jednego z krzaczków i unosi jego liście.

– Widzisz, ile na nim owoców? A wszystko to bez sztucznych nawozów. Tutaj użyźniają ziemię tylko kompostem. Proszę, spróbuj.

Jola zrywa dojrzały owoc i wkłada do buzi. Truskawka smakuje jak ciepła i słodka letnia noc.

– Halo, wy tam. Macie zbierać truskawki, a nie jeść! – Babcia włożyła słomkowy kapelusz i kilka rzędów dalej ustawiła na ścieżce swój koszyczek.

– Ojej, babcia ma już prawie pełną łubiankę – dziwi się dziadek.

– No to do biegu, gotowi, start! – woła Jola. I ona, i dziadek zrywają na wyścigi czerwone jagody z krzaczków. Co trzeci owoc ląduje jednak nie w koszyczku, a w buzi dziewczynki.

– Najwspanialsze w samodzielnym zbieraniu truskawek jest to, że możesz jeść, ile chcesz – sapie dziadek. – Waży się tylko to, co masz w koszyku, i tylko za to się płaci.

Punktualnie o wpół do trzeciej wszystkie koszyczki są już wypełnione owocami, a pół godziny później Jola i jej dziadkowie zajeżdżają pod dom.

– Hej, Jolu, pospiesz się – woła Eryk, gdy dziewczynka razem z dziadkiem taszczą ciężkie koszyczki do domu.

Goście siedzą już przy odświętnie nakrytych stołach, a Eryk i jego brat Leoś rozkładają talerze. Na stołach stoją torty, kremy i nawet lody truskawkowe w wafelkach domowej roboty. Tata Bartka pobrzękuje na gitarze, a pani Jakubik maluje dziewczynkom truskawki na buzi.

– Chodź, Jolu, nie mamy czasu – woła babcia.

W kuchni wszyscy troje natychmiast zabierają się do roboty. Jola myje truskawki zimną wodą, dziadek rozkłada owoce na papierowym ręczniku, żeby je osuszyć. Następnie babcia obiera je z szypułek i kroi na maleńkie plasterki. Jola wlewa śmietanę do miseczki i ubija ją mikserem, aż robi się sztywna. Potem dodaje do niej utarty serek i trochę cukru. Babcia wrzuca soczyste cząstki truskawek do dużej szklanej miski, a Jola wykłada na nie krem. Jak to pięknie wygląda, gdy czerwony sok owoców miesza się ze śnieżnobiałym kremem! Dokładnie tak jak na zdjęciu w książce kucharskiej. Dziadek zrywa kilka listków mięty i układa je na wierzchu.

– Gotowe! Teraz idź na festyn – mówi babcia. – A ja przyniosę
z samochodu cukier żelujący i z pozostałych truskawek ugotuję dżem.

Festyn trwa już w najlepsze. Na stole jedna obok drugiej stoją pyszności
zrobione z truskawek. Jola ledwie zdołała zmieścić swoją miseczkę.

– A ty co nam pysznego przynosisz, Jolu? – pyta pani Jakubik, sięgając
łyżką do miski. Eryk i Leoś, Julek i wszyscy dorośli również próbują jej
specjału. Ich twarze wyrażają niebiański zachwyt – dokładnie tak, jak to
sobie dziewczynka wyobrażała.

– Chyba wiem, komu przypadnie główna nagroda – woła tata Eryka,
a pani Jakubik i Julek śmieją się i całują Jolę w oba policzki.

Na twarożek z **truskawkami** przygotuj:
pół kilograma **truskawek**,
pół kilograma delikatnego białego sera,
kubeczek śmietanki 30-proc.,
4 łyżki stołowe cukru.

Truskawki dokładnie umyj i osusz na ręczniku papierowym. Oderwij szypułki i pokrój owoce na małe kawałeczki. Wymieszaj z jedną łyżką cukru i odstaw do lodówki. Ser utrzyj dokładnie na pulchną masę. Teraz wlej śmietankę do miski i ubij na sztywno mikserem, dodając trzy łyżki cukru. Potem delikatnie wymieszaj serek ze śmietaną na kremową masę. **Truskawki** wyjmij z lodówki, przełóż do ozdobnej szklanej miseczki i zalej kremem. Smakuje wspaniale! Jeśli chcesz, ostrożnie wymieszaj cząstki owoców z masą serową – potrawa zyska jeszcze piękniejszy wygląd.

Mikstura na kaszel

Marek kaszle już od wczoraj. Kaszle tak bardzo, że jego buzia robi się całkiem czerwona.

– Musimy iść z Markiem do lekarza – mówi mama. – Pójdziesz z nami, Dominiko?

– Jasne, bardzo chętnie.

Mama ma z Markiem pełne ręce roboty. Chłopczyk ma dopiero trzy lata i gdy jest chory, domaga się noszenia na rękach. Do tego dochodzi jeszcze torba i pluszowy miś. I wtedy dobrze, gdy jest ktoś, kto może pomóc u lekarza.

Na szczęście w poczekalni nie ma tłoku i szybko wchodzimy do gabinetu.

Lekarka ostukuje pierś Marka i osłuchuje stetoskopem.

– A teraz otwórz szeroko buzię – prosi. Ale Marek nie ma na to ochoty i mocno zaciska usta. Lekarka otwiera szufladę i wyciąga z niej słoik miodu. Odkręca go i nabiera trochę miodu na drewnianą szpatułkę.

– Zobacz, co dla ciebie mam.

Marek bardzo się cieszy. Wie, co to miód. Czasami dostaje posmarowane nim kanapki. Teraz zamyka oczy i szeroko otwiera usta.

– Aha! – lekarka szybko świeci lampą do buzi. A następnie Marek dostaje patyczek do oblizania. Wzdryga się trochę, taki słodki jest miód.

– Wszystko w porządku – uspokaja lekarka mamę i wypisuje receptę. – Proszę podawać mu syrop od kaszlu razem z miodem. Najlepiej lipowym, ponieważ on rozpuszcza śluz. Rano i wieczorem małą łyżeczkę.

Idziemy do sklepu ekologicznego po miód. A ponieważ Marek ma właśnie atak kaszlu, to ja muszę się zająć jego kupieniem. Sprzedawca pokazuje regał z najróżniejszymi gatunkami. Czytam napisy na nalepkach: miód akacjowy, miód leśny, rzepakowy, wrzosowy i kasztanowy. Zawartość słoików mieni się różnymi barwami od zieleni do brązu, od słonecznej żółci do pomarańczu.

– Tutaj jest miód lipowy – mówi sprzedawca i podaje mi słoik z jasnożółtą zawartością. – Uważaj, ten jest szczególnie cenny.

Mocno trzymam słoik obiema rękami.

– Dlaczego miód ma tyle różnych kolorów? – pytam.

– Ponieważ pszczoły zbierają go z różnych roślin. Miód lipowy powstaje z nektaru zebranego z kwiatów lipy, słonecznikowy z nektaru z kwiatów słonecznika, a akacjowy z kwiatów robinii zwanej popularnie akacją. Różne nektary nadają miodom różne kolory.

Kiwam głową, ale coś jeszcze nie daje mi spokoju.

– A skąd pszczoła wie, do jakich kwiatów ma lecieć?

– Hm. – Sprzedawca chrząka z zakłopotaniem. – Niestety tego nie wiem. Ale jeśli cię to interesuje, zadzwoń do pani Bartnickiej. Ona jest pszczelarką i to z jej pasieki pochodzi ten miód. Na etykiecie znajdziesz jej adres i numer telefonu.

– Świetnie, dziękuję bardzo.

W domu opowiadam mamie o pani Bartnickiej i jej pasiece. Mama podnosi słoik z miodem i odczytuje napis.

– Masz szczęście. Pani Bartnicka mieszka niedaleko stąd. – Ale potem marszczy czoło niezadowolona. – Miód z miasta – czyta dalej. – Taki

miód chyba nie jest zdrowy. – Mama wykręca numer
pani Bartnickiej.

– A dlaczego miód z miasta nie może być zdrowy?
– pytam.

– No, z powodu tych wszystkich spalin i zanieczyszczenia
środowiska. W mieście przecież wszystko jest brudne. Z kwiatów
rosnących w mieście nie da się raczej zrobić zdrowego miodu.

W słuchawce słychać kliknięcie i zgłasza się pani pszczelarka.
Mama opowiada jej, że kupiliśmy miód z jej pasieki, i o tym, że wątpi,
czy taki miód na pewno jest zdrowy. Nastawiła telefon na głośne
mówienie, żebym wszystko słyszała. Pani Bartnicka wyjaśnia, że miód
z miasta na pewno jest zdrowy. W mieście pszczoły zbierają o wiele
mniej zanieczyszczeń niż na wsi, gdzie rolnicy stosują sztuczne nawozy
i środki ochrony roślin. Mama uspokaja się i podaje mi słuchawkę.
Kiedy pani Bartnicka słyszy, że chcę się czegoś dowiedzieć o pszczołach,
bardzo się cieszy.

– Jutro rano idę do pasieki na ulicę Brzozową, możesz iść ze mną.

– To na ulicy Brzozowej są ule? – pytam zaskoczona. – Nigdy ich tam
nie widziałam.

– A więc najwyższy czas, żebyś poznała moje pszczoły.

To miłe z jej strony, że chce mnie ze sobą zabrać. Tylko że... zaczynam
się trochę bać. Przecież pszczoły są niebezpieczne. A co będzie, jeśli mnie
użądlą?

– Nie bój się, Dominiko. – Pani Bartnicka jakby czytała w moich
myślach. – Przyniosę ci specjalny ubiór ochronny. Nic ci się nie stanie.

Następnego dnia pszczelarka czeka na mnie przed sklepem
z ekologiczną żywnością. Ma komiczną, nastroszoną fryzurę i stale
się śmieje. Do ulicy Brzozowej jest niedaleko. Musimy
przejechać kawałek prosto, potem skręcić w lewo i aż

do skrzyżowania znowu jechać prosto. Pani Bartnicka zatrzymuje się na parkingu przed wielkim biurowcem.

Wysiadam z samochodu i rozglądam się w poszukiwaniu pszczół. Gdzież one mogą być? Może między samochodami?

– Nie, ule nie stoją na ulicy. To by było zbyt niebezpieczne dla ludzi, którzy tu pracują i mieszkają – wyjaśnia mi pani Bartnicka. – Chodź i pomóż mi z bagażami. Są w nich kapelusze pszczelarskie. – W windzie biurowca pani Bartnicka pokazuje mi, jak wygląda pszczelarskie nakrycie głowy. Jest to biały kapelusz z bardzo szerokim rondem, z którego dookoła zwisa siatka ochronna. Kiedy pani Bartnicka wkłada mi go na głowę, czuję się jak w namiocie. Żadne pszczoły nie są już dla mnie groźne.

– Przez siatkę dobrze widzisz, ale jej oczka są dla pszczół za małe, żadna z nich się przez nią nie przedostanie. – Potem dostaję jeszcze rękawice. – Kapelusz i rękawice doskonale chronią przed pszczołami. Ale właściwie pszczoły to bardzo łagodne zwierzątka. Są tak bardzo zajęte swoją pracą, że wcale nie myślą o żądleniu. A oto i jesteśmy na miejscu.

Otwierają się drzwi windy i wychodzimy do mrocznego korytarza z betonowymi ścianami. Pani Bartnicka zapala świetlówki. Nie do wiary, że gdzieś tutaj mieszkają pszczoły. Może moja towarzyszka sobie żartowała?

Pani Bartnicka nakłada kapelusz, a potem wchodzi na górę wąskimi schodami, prowadzącymi do metalowych drzwi. Otwiera je. Czujemy silny powiew wiatru. Pszczelarka bierze mnie za rękę i wyprowadza na zewnątrz. Jak tu pięknie! Znajdujemy się na dachu wieżowca. Nad nami gnają chmury, a niebieskiego nieba nad głową mogę prawie dotknąć rękoma. Mam stąd widok na całe miasto: wieże, dachy, ulice, parki, wszystko wygląda z góry jak dziecięce zabawki. Przytrzymuję mocno swój pszczelarski kapelusz, żeby nie odleciał z wiatrem. Jak tu wspaniale! Poczułam się taka wolna, jakbym sama umiała latać. I nagle dobiegło mnie bzyczenie i buczenie pszczół. Ule ustawione są w osłoniętym od wiatru rogu przy balustradzie otaczającej płaski dach. Mają różne kolory, a na dole każdego z nich znajdują się szczeliny, którymi stale wlatują i wylatują pszczoły.

– W jednym ulu mieszka około sześćdziesięciu tysięcy pszczół – wyjaśnia mi pani Bartnicka. Przy szczelinach panuje taki ścisk, że wszystko wydaje się zalepione ciemną masą. Niektóre owady nadlatują z taką szybkością, że nie trafiają do szczeliny, uderzają w ściankę ula, odbijają się od niej, robią w powietrzu salto i dopiero po chwili znajdują drogę do środka ula. Ul to dla pszczół coś w rodzaju wieżowca, w którym żyją i pracują. Wylatują z niego i odwiedzają parki i łąki, których wokół miasta nie brakuje, swoimi trąbkami spijają nektar z kwiatów. W przewodzie pokarmowym produkują z kwietnego soku miód. Zanoszą go do ula i wypluwają na plastry wosku, po to by również zimą mieć co jeść.

Jasne, to już wiem. Miód jest dla pszczół zapasowym jedzeniem na zimę, ponieważ wtedy nie ma kwiatów i pszczoły zginęłyby z głodu.

Pani Bartnicka otwiera daszek jednego z uli. Co za bzyczenie i buczenie! Pszczoły pełzają jedna po drugiej i wspinają się na siebie, niektóre wczepiają się w towarzyszki i są przez nie noszone na grzbiecie. Wygląda to jak gruba warstwa ciemnego aksamitu. Pszczelarka wyciąga drewnianą ramkę.

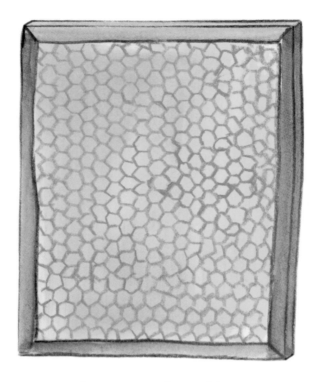

– Widzisz, gdy plastry wypełnione są miodem, pszczoły zasklepiają je woskiem, żeby miód nie wypływał ze środka i nie brudził się.

– A skąd pszczoły biorą wosk? – Mimo kapelusza z zasłoną widzę, jak pani Bartnicka się uśmiecha.

– Same go produkują. One potrafią o wiele więcej.

– A co jeszcze umieją pszczoły?

– Na przykład mówić! W swoim pszczelim języku. To są specjalne ruchy, rodzaj tańca, za pomocą którego pszczoły potrafią na przykład zawiadomić swoje towarzyszki, gdzie jest dobry nektar. Kiedy na dole, na łące pszczoła odkryje mnóstwo kwitnącego mlecza, może to powiedzieć pozostałym pszczołom i inne również polecą tam po nektar.

– Świetnie! – Czego te pszczoły nie potrafią! Ale trochę mi też ich żal. – Właściwie to nie fair, że pszczoły produkują sobie miód, a ludzie przychodzą i go im po prostu zabierają.

79

Pani Bartnicka wkłada ramkę z plastrem z powrotem do ula.

– To niezupełnie tak wygląda. My, pszczelarze, zabieramy zawsze tylko część miodu. Zostawiamy jeszcze dość pszczołom. A w zimie karmimy owady wodą z cukrem. To nie tylko im smakuje, ale jest też o wiele bardziej lekkostrawne niż miód.

Pani Bartnicka sprawdza, czy w innych ulach wszystko jest w porządku. W drodze powrotnej wyjaśnia mi, jak produkuje miód lipowy.

– W tym celu ładuję ule na samochód i zawożę je do parku albo w pobliże alei wysadzanej lipami. Tam pszczoły zostają na cały okres kwitnienia lip i zbierają nektar z kwiatów lipy.

 – A co pszczoły jedzą, gdy lipy już przekwitną? – pytam.

– Wtedy zbierają pyłki i nektar z kwiatów. Wielu ludzi zakłada obok domu ogródek, ponieważ lubią zieleń w swoim otoczeniu. Albo też sadzą rośliny w skrzynkach na balkonie, żeby pszczoły miały dość pożywienia.

Kiedy wieczorem wyglądam przez okno, widzę wysoki biurowiec. Moim zdaniem to wspaniale, że na samej górze mieszkają tam pszczoły. My, co prawda, nie mamy balkonu, ale na moim parapecie zmieści się skrzynka na kwiaty. Zasadzę w niej rośliny, żeby pszczoły odwiedziły również mnie.

Marek już tak bardzo nie kaszle. Wieczorem ja również zjadam łyżeczkę miodu, tak na wszelki wypadek. Hm, jaki on jest pyszny!

Miód nie tylko wspaniale smakuje, jest również lekarstwem. Spróbuj jeść **miód**, gdy kaszlesz. Jeśli masz skaleczenia czy otarcia, które się źle goją, kup w aptece plastry **miodowe** i opatrunki z **miodem**. Od wielu setek lat ludzie stosują miód jako lekarstwo.

Jest słodszy, ale również o wiele zdrowszy od cukru, ponieważ zawiera witaminy i mikroelementy, które są bardzo ważne dla naszego zdrowia.

Najbardziej popularną miksturą jest ciepłe mleko z **miodem**. Pomaga, gdy nie możesz zasnąć. Wypróbuj koniecznie! Ale uwaga: mleko nie może być za gorące, gdy będziesz do niego dodawać miód. Jeśli ogrzejemy **miód** do temperatury powyżej 40 stopni Celsjusza, traci swoje ważne składniki. Wtedy, co prawda, dalej jest słodki, ale nie jest już zdrowszy od cukru. I jeszcze jedna ważna informacja: dzieciom, które nie skończyły jeszcze roku, nie wolno jeść **miodu**.

Krowa robi muuu — a kto robi mleko?

– Jak masz na imię? – pyta mała po raz setny.

– Lu-cek! – odpowiadam.

Ta zwariowana dziewczynka mieszka we wsi i strasznie mnie denerwuje. A mama ciągle powtarza:

– Dlaczego nie bawisz się z Franią? Ona zna tutaj wszystkich i wszystko, i z pewnością może ci pokazać ciekawe rzeczy.

– Cóż takiego może mi pokazać ta mała fryga, ona przecież nawet nie chodzi do szkoły!

Całe nasze wakacje to kompletna klapa i porażka. Tata całymi dnami jeździ na rowerze górskim po torze przeszkód, a mama chodzi na długie spacery z kijkami. A potem leży na leżaku za domkiem i rozmawia przez telefon. Nudno, i na dodatek śmierdzi. Ten zapach dochodzi z sąsiedniego gospodarstwa. Jest tam bardzo dużo zwierząt. Ale one mnie w ogóle nie interesują.

Bum – lewa stopa. Bum – prawa stopa. Bum – znowu lewa, walę o drzwi szopy. Przez całe popołudnie nie mam co robić, więc ćwiczę strzały piłką w drzwi. Frania przygląda mi się. I tak od trzech dni bez przerwy.

– Jak masz na imię? – Frania uśmiecha się, gdy odwracam się w jej stronę. Nie patrzę na nią. Bum – lewa, bum – prawa. Na drzwiach szopy widać już okrągłe plamy po piłce.

– Pójdziesz ze mną? Coś ci pokażę. Nie bój się. Lena też się nie boi.

Frania podsuwa mi swoją lalkę pod oczy.

– O rany, mała, zostaw mnie w spokoju!

– No chodź! – Bierze mnie za rękę i ciągnie za sobą. – Pan Mączka ma krowę, która jest fioletowa. Od rogów aż po racice. I daje fioletowe mleko.

– Co za bzdura. Nie ma fioletowych krów i fioletowego mleka.

– Właśnie że są. Krowa nazywa się Miła i nawet występuje w telewizji.

– Tak, tak, w reklamie czekolady. Ale to przecież bzdura, to co pokazują – to nieprawda.

Frania uśmiecha się. Jej dłoń spoczywa w mojej. Jest miękka i ciepła jak kocia łapka. Dziewczynka podskakuje obok mnie na piaszczystej drodze, a następnie skręca w obsadzoną grubymi drzewami aleję, która prowadzi do gospodarstwa.

– Miła daje fioletowe mleko, ponieważ ona nie je nic innego oprócz gencjany – mówi Frania i chichoce. – Gencjana ma fioletowe kwiatki i rośnie wysoko w górach. I wszystko farbuje na fioletowo. Najpierw język krowy, potem całą krowę, stąd na koniec mleko. – Frania stara się zachować poważną minę. Ale drży jej lewa powieka i dlatego wiem, że mnie nabiera. – A krowa Nora często daje zielone mleko, bo zjada całe kępy trawy i koniczynę, i nic poza tym.

Nie, teraz mam już naprawdę dość. Tylu bzdur naraz jeszcze nie słyszałem.

– Mleko jest białe i już. Nie może być fioletowe ani zielone, ponieważ… ponieważ…

Tak, a właściwie dlaczego nie? Dlaczego mleko nie może być fioletowe od gencjany, zielone od trawy czy żółte od marchewki?

Frania śmieje się.

– Ty wcale nie wiesz, skąd się bierze mleko, prawda?

– Nie zawracaj głowy – odpowiadam. – Oczywiście, że wiem, skąd się bierze mleko. Każde dziecko to wie. Mleko pochodzi od krów. Od takich jak te, na przykład.

Pokazuję na stado krów pasących się na łące. Zwierzęta w brązowo-białe plamy, z długimi rogami i miękkimi pyskami. Żują sobie spokojnie i rozglądają się swoimi wielkimi, łagodnymi oczami.

Frania uśmiecha się od ucha do ucha.

– I ty naprawdę myślisz, że mleko pochodzi od tych tam?

– Ja nie tylko tak myślę, ja to wiem. – Podchodzę do ogrodzenia.

– Odważyłbyś się je pogłaskać?

– Pewnie! – Wyciągam rękę przez ogrodzenie. Jedno ze zwierząt, z krzywym rogiem, podbiega do mnie ciężkim kłusem. Wielkim, szorstkim językiem liże moją dłoń. Całą rękę mam teraz wilgotną, ale udaję, że mi to nie przeszkadza. Niech sobie ta mała Frania nie myśli, że jeszcze nigdy nie głaskałem krowy.

– Dobra krówka, chodź tutaj – mówię, a potem drapię ją między rogami.

Frania podnosi swoją lalkę za rękę i przygląda mi się. Potem nagle zasłania sobie usta i prycha głośno.

– Hej, co jest?

– O rany, Lucek! To przecież nie są żadne krowy. To są woły. One nie dają mleka. Przecież one nawet nie mają wymion.

Pochylam się i zaglądam przez płot. Rzeczywiście. Żadne ze zwierząt nie ma wymion. A zwierzęta bez wymion to są faceci, one nazywają się byki, buhaje albo woły. I nie dają mleka. Tylko te, które mają wymiona, nazywają się krowy. I to one dają mleko. I naraz przypominam sobie coś ważnego: mleko dają tylko krowy, które zostały matkami. Mleko jest pożywieniem dla ich dzieci, czyli cieląt. Dokładnie tak jak u ludzi. Kiedy kobieta rodzi dziecko, w jej piersiach pojawia się mleko, żeby dziecko miało się czym odżywiać. U krów jest podobnie.

– A gdzie są teraz krowy i cielęta? – pytam.

– No tam! – Frania podnosi lalkę wysoko i wyciąga jej szmacianą rękę w stronę stawu.

Widzę jeszcze jedną łąkę. Ale teraz jest pusta. Mała nie przestaje mnie nabierać.

– Tam nie ma żadnych krów – mówię wściekły.

Frania podsuwa w moją stronę rękę lalki, żebym ją złapał.

– To nasze pastwisko. Tylko że teraz nie ma na nim krów.

Wchodzimy na wyłożone kocimi łbami podwórze i zbliżamy się
do wielkiego budynku.

– No a co z krowami? Pojechały na urlop, czy co?

Frania znów chichoce.

– Właśnie. Mają teraz przerwę. Tam, patrz.

Podbiega do pomalowanych na zielono drzwi i otwiera je.
Wielkie pomieszczenie oświetlone jest jasno wieloma świetlówkami.
W metalowych boksach ustawionych półkolem na środku
na podwyższeniu stoi pięć krów. W każdym boksie znajduje się pojemnik
z ziarnem i krowy zajadają je ze smakiem. Wszystkie mają założone
na wymiona metalowe końcówki mechanicznej dojarki.

– Podczas dojenia nasze krowy zawsze dostają coś do jedzenia.

– A dlaczego nie doicie ich ręcznie?

Frania puka się w czoło.

– Zwariowałeś? Mamy siedemdziesiąt krów! Wiesz, ile by to trwało? Tata byłby cały dzień zajęty dojeniem.

Frania macha do mężczyzny w granatowym roboczym kombinezonie i kaloszach, który stoi obok boksów do dojenia i pilnuje krów. Ponieważ krowy są na podwyższeniu, a on niżej, ma ich wymiona na wysokości oczu i nie musi się ciągle pochylać. Frania prowadzi mnie po metalowej drabince na dół do mężczyzny.

– Cześć, tato. To jest Lucek. Chciałby wiedzieć, jak się doi krowy. Pokażę mu, dobrze?

A więc to tak. Ta bezczelna fryga jest córką rolnika, pana Mączki, który ma gospodarstwo ekologiczne. Teraz otwierają się hydrauliczne drzwi.

Wydojona krowa wychodzi z boksu, a na jej miejsce wchodzi następna. Jej wymiona są czerwone i mocno obrzmiałe, a sine żyłki tworzą na nich wyraźny wzór.

Frania odrywa kawałek wełny drzewnej z plastikowej kadzi.

– Widzisz? Ciepłą wodą i wełną drzewną tata myje dokładnie strzyki, czyli te podłużne wyrostki, przez które leci mleko. Krowy to lubią, ponieważ potem mleko napływa do strzyków i dojenie jest łatwiejsze. A poza tym do mleka nie może się dostać żaden brud z wymion.

Ojciec Frani podstawia teraz pod wymię małe wiaderko i z każdego z czterech strzyków doi jeden silny strumień mleka.

– Tata robi tak po to, żeby się upewnić, czy mleko jest w porządku. Jeśli mleko jest żółte lub zwarzone, oznacza to, że krowa jest chora, i takie mleko nie nadaje się do spożycia.

– Aha – mruczę i przyglądam się, jak pan Mączka odstawia wiaderko i zakłada na strzyki końcówki maszyny do dojenia. Krowa traktuje to ze stoickim spokojem. Mam nawet wrażenie, jakby się cieszyła, że jej wymiona zostaną całkowicie opróżnione i nie będzie musiała taszczyć ze sobą takiej ilości mleka.

– Zgadnij, ile kartonów mleka dziennie daje jedna krowa.

Jedna krowa… ile litrów mleka? Hm. Wytężam umysł.

– Może cztery albo pięć kartonów – mówię.

Ojciec Frani uśmiecha się z dumą.

– Jedna krowa daje dwadzieścia litrów mleka. I ciągle jeszcze jest go dosyć dla cieląt.

A prawda, cielaczki! Prawie o nich zapomniałem. Ale gdzie one właściwie są?

– Cielaki są tam dalej, we własnej oborze. Nie przychodzą tutaj do dojarni. Za dużo byłoby tu zamieszania, gdyby wszystkie zaczęły naraz biegać – wyjaśnia mi Frania.

Przyglądam się, jak przezroczystym plastikowym wężem mleko leci do niewielkiego zbiornika.

– Ten zbiornik to taki pojemnik kontrolny. Wielki zbiornik znajduje się tam. Zrobiony jest ze stali szlachetnej i mleko jest w nim od razu schładzane, jak w lodówce.

I znowu na górze otwierają się hydrauliczne drzwi i zmieniają się krowy. Nie podejrzewałem, że krowy mogą być takie pilne, przecież całymi dniami tylko stoją i jedzą.

Tata Frani czyści strzyki.

– No, chciałbyś spróbować? – pyta.

Czuję, że się czerwienię. Mężczyzna podnosi mnie i dotykam wymienia. Jest miękkie i ciepłe. Ciągnę za strzyki, ale mleko nie cieknie. Krowa zaczyna niecierpliwie przebierać tylnymi nogami.

– Nie przejmuj się. Dojenie to trudna umiejętność, trzeba się długo uczyć. – Tata Frani stawia mnie na ziemi. – Frania już radzi sobie całkiem nieźle. Na pewno pokaże ci, jeśli przyjdziesz do nas jutro.

Frania uśmiecha się do mnie, a ja kiwam głową. Dojenie krów! Super. Oczywiście, że jutro znowu przyjdę. I naraz nasze wakacje zaczynają mi się nawet podobać!

Tak jak wszystkie żywe stworzenia, również krowy muszą
jeść, jeśli nie chcą umrzeć z głodu. Krowy jedzą świeżą
lub suszoną trawę (siano) albo kiszonki, czyli kiszoną
trawę. Oprócz tego jedzą jeszcze dużo innych rzeczy.
Lubią koniczynę, niektóre zioła, ziemniaki i owies.

Składniki odżywcze, jakie krowa przyjmuje z pożywieniem, nie są
jednak bezpośrednio przerabiane na **mleko**. I dlatego kolor **mleka** nie
ma nic wspólnego z tym, co krowa wcześniej zjadła. W żołądkach krowy
trawa jest trawiona i rozkładana na czynniki pierwsze. Te składniki to
baza wyjściowa dla **mleka**. Są one transportowane z krwią do wymion.
Mleko powstaje w mikroskopijnych pęcherzykach mlecznych, z których
zbudowane są wymiona. Z nich **mleko** wypływa różnymi małymi
i większymi kanalikami, płynie do pustego wymienia i tam się zbiera.
Ale wypływa z wymienia dopiero wtedy, gdy cielę ssie, ciągnąc za strzyk,
gdy rolnik doi ręcznie albo gdy podłączy się końcówki mechanicznej
dojarki.

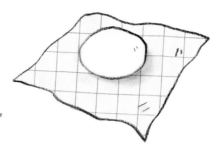

Marcin i biały ser

Marcin siedzi przy stole i ze zwieszoną smętnie głową je śniadanie. Przed nim, na białym talerzu, leży kromka chleba tostowego. Wokół niej kilka okruszków i oprócz tego nic. Absolutnie nic.

– A dlaczego nie ma sera? – Marcin jest tak rozczarowany, że jego głos brzmi cienko i piskliwie. Karina szybko smaruje jego kromkę masłem, a Sandra kładzie na wierzchu plasterek pomidora.

Karina jest ciocią Marcina, a Sandra jego cioteczną siostrą. Sandra dostała właśnie w prezencie nowy samochodzik kettcar i zaprosiła Marcina do siebie, żeby oboje mogli wypróbować podobny do gokarta pojazd na pedały. Marcin zostanie u cioci przez cały tydzień. Ale początek tygodnia, na który chłopczyk cieszył się tak bardzo, wcale nie jest udany. Najpierw było mu niewygodnie na dmuchanym materacu, rozłożonym w pokoju Sandry. Materac miał maleńką dziurkę i uszło z niego całe powietrze, wydając przy tym dziwne odgłosy. Marcin pół nocy przeleżał z otwartymi oczami, czuł się dość dziwnie, chyba nawet trochę się bał, i oczywiście bardzo zatęsknił za domem. A teraz nawet nie ma sera na śniadanie. To bardzo niedobrze, ponieważ Marcin uwielbia ser.

– A może zjesz kanapkę z miodem albo z kremem orzechowym. Nasz krem orzechowy jest naprawdę pyszny.

Marcin kręci głową.

– To może musli. Może zjadłbyś musli?

– Nie lubię słodkich rzeczy – marudzi chłopczyk. – Chcę białego sera.

– Marcinku, bardzo mi przykro. Gdybym wiedziała, że tak lubisz ser, kupiłabym go na śniadanie. – Karina gładzi miękką dłonią rękę siostrzeńca.

Teraz w oczach chłopczyka pojawiają się łzy. Jedna z nich spływa po policzku i w końcu spada na biały brzeg talerza. Marcin szybko wyciera łzy palcem. Ciocia i Sandra z pewnością je widziały. Marcinowi jest wstyd, że siedzi tu i płacze jak małe dziecko tylko dlatego, że nie dostał na śniadanie serka. Ale oczywiście nie płacze z powodu sera. Po prostu dzisiaj rano obudził się bez taty. A chociaż ma już pięć lat i jest całkiem duży, z trudem przychodzi mu budzenie się bez taty.

– Wiesz co? Za pięć minut otwierają sklep na dole. Pójdziemy tam, kupimy ser i wrócimy na śniadanie.

Marcin zaciska usta i kiwa głową.

Kilka minut później wszyscy troje stoją przed drzwiami supermarketu. Pada deszcz. Sandra trzyma nad głową Marcina pusty koszyk na zakupy.

– Jak myślisz, Marcinku? Po śniadaniu włożymy płaszcze przeciwdeszczowe i pojeździmy sobie samochodzikiem mimo deszczu?

– Dobry pomysł – uważa ciocia Karina. – Jest dość ciepło.

Sprzedawca w białym kitlu podchodzi do drzwi i otwiera je szeroko.

– Ale najpierw zjemy pyszny serek na śniadanie. – Karina wchodzi do środka, dzieci za nią. Sandra wyciąga z długiego szeregu wózek i jedzie za Kariną i Marcinem w stronę regału z nabiałem.

– Jak nazywa się twój ulubiony ser? – pyta ciocia.

– Moracela – mruczy Marcin.

Ciocia szuka na półkach i w stojących na podłodze kartonach. Marcin pomaga jej. Jest tu ser kwadratowy i trójkątny. Ser w plastrach i w wielkich żółtych kostkach. Ser z dziurami i ser z ziołami. Ale sera, który tak lubi chłopczyk, małych, okrągłych kulek w plastikowych torebkach, nie ma.

Ciocia macha ręką w stronę sprzedawcy.

– Przepraszam, czy mają państwo mozzarellę?

– Właściwie powinniśmy ją mieć, ale chyba nie przyjechała z ostatnią dostawą – odpowiada sprzedawca.

Ciocia marszczy czoło.

– Co to znaczy, że nie było go w dostawie?

Marcinowi robi się nieprzyjemnie, że ciocia tak naskakuje na sprzedawcę. Wszystko z jego powodu. Ten ser wcale nie jest taki ważny. Przecież, jeśli dobrze się nad tym zastanowić, to można zjeść na śniadanie również chleb z pomidorem.

– Możemy pojechać do tego wielkiego supermarketu za miastem. Może tam mają ten ser? – proponuje Sandra.

– Dobrze – zgadza się ciocia Karina. – Ale zajmie nam to co najmniej pół godziny.

– Nie chcę do tego sklepu – oznajmia Marcin. – Wolę pojeździć twoim kettcarem.

Marcin uważa, że to bardzo miłe ze strony cioci i Sandry, że chcą specjalnie dla niego jechać po ser. Ale spędzić pół dnia w samochodzie? To się wcale nie opłaca.

Ciocia zastanawia się chwilę. A potem pstryka palcami.

– Mam pomysł. Po prostu zrobimy ser sami.

– Można samemu zrobić ser? – dziwi się Sandra.

– Oczywiście.

– Z mleka – wtrąca Marcin. – Ser robi się z mleka. – Ale jak dokładnie się to odbywa, tego chłopczyk nie wie.

– Potrzebujemy mleka i cytryny – wyjaśnia ciocia. Marcin i Sandra wstawiają do wózka po kartonie mleka. Ciocia Karina dokłada jeszcze cytrynę.

– Kiedyś moja babcia pokazała mi, jak się robi ser. Dawniej ludzie na wsi zawsze sami robili sobie sery.

– Czy to trudne? – pyta Marcin.

– Nietrudne, ale trzeba mieć trochę cierpliwości. Chodźcie, musimy jeszcze iść do apteki i kupić tabletki z podpuszczką.

Po drodze ciocia tłumaczy, co to jest podpuszczka. Cielęta i jagnięta mają w swoich żołądkach pewną substancję, enzym zwany właśnie podpuszczką. I ta podpuszczka sprawia, że mleko, które one piją, zsiada się i pęcznieje, ale nie kwaśnieje. I właśnie takiej podpuszczki potrzeba do produkcji sera.

W domu ciocia wrzuca tabletkę z podpuszczką do szklanki z wodą i miesza aż do rozpuszczenia tabletki. Marcin wyciska sok z cytryny. Potem wszyscy troje czekają, aż zagrzeje się mleko w garnku. Trwa to dość długo.

– Mleko trzeba podgrzewać bardzo powoli, bo inaczej się przypali – tłumaczy ciocia i wkłada do mleka termometr do mierzenia gorączki. Kiedy płyn osiąga temperaturę dokładnie czterdziestu stopni, Marcin i Sandra wlewają do niego wodę z rozpuszczoną tabletką i sok z cytryny. Ciocia Karina dodaje jeszcze szczyptę soli i pieprzu, żeby ser miał odpowiedni smak.

– Ojej, w środku robią się grudki – dziwi się Sandra.
I rzeczywiście: nagle mleko przestaje być białe i kremowe, a staje się grudkowate, mętne i żółtawe.

– Sok z cytryny sprawia, że mleko rozwarstwia się na poszczególne składniki – mówi Karina. – Na wodę, tłuszcz i białko. Ten proces nazywamy koagulacją.

Ciocia delikatnie miesza gęstą masę drewnianą łyżką na długiej rączce.

– Ten mętny płyn, który zostaje z produkcji sera, to serwatka. Smakuje wspaniale.

– Fuj, ale wygląda okropnie – uważa Sandra. – Na pewno nie będę tego piła.

– Poczekaj – mówi ciocia. – Serwatka jest bardzo zdrowa, a wymieszana z sokiem owocowym smakuje lepiej niż lemoniada.

Marcin przygląda się z uwagą temu, co dzieje się w garnku. Jest pewien, że spróbuje serwatki. Przecież uwielbia ser. Dlaczego coś innego, co przecież też powstaje z mleka, miałoby mu nie smakować?

– Teraz właściwie należy tylko mieszać. Chcesz spróbować? – Ciocia podaje Marcinowi łyżkę. Chłopczyk ostrożnie miesza brejowatą zawartość garnka. Nie potrafi sobie wyobrazić, jak powstanie z niej ser.

– Może trzeba mieszać tak długo, aż cała woda z mleka wyparuje – zgaduje Sandra.

– Nie, mleko nie ma prawa się gotować. – Karina wyłącza płomień pod garnkiem.

– Możesz teraz przestać mieszać. – Ciocia przykrywa garnek pokrywką.
– Teraz musimy godzinę poczekać. Tak długo trwa całkowite oddzielenie

się masy serowej, czyli skrzepu, od wody. Ale w tym czasie pomożecie mi skonstruować duże sitko, na którym odcedzimy ser.

Sandra wyciąga z szafki durszlak.

– Dlaczego nie możemy wziąć tego? – pyta.

– Dobry pomysł, Sandro, ale potrzebujemy sitka z bardzo małymi otworkami, żeby odcedzić samą wodę i żeby cząsteczki sera przez nie nie uciekły.

– Wiem! – woła Marcin. – Potrzebujemy chustki do nosa.

– No właśnie – śmieje się ciocia Karina. – Ale ja nie mam tak wielkiej chustki. Wiem, co zrobimy: weźmiemy po prostu czystą ściereczkę. – Wstawia do zlewozmywaka plastikową miskę. – Tutaj zbierzemy serwatkę, bo przecież później ją wypijemy – mówi, a potem pomaga Marcinowi i Sandrze znaleźć odpowiednią ścierkę. Następnie zdejmuje pokrywkę z garnka. Mleko ścięło się już dokładnie i w garnku utworzyła się z niego pływająca w serwatce ścisła masa. Ciocia tnie ją długim nożem na mniejsze kawałeczki.

Sandra i Marcin chwytają za rogi ścierki – każde za dwa – i rozciągają tak bardzo, aż ścierka staje się mocno napięta. W taki sposób trzymają ją nad miską. Ciocia zdejmuje garnek z płytki i ostrożnie przelewa zawartość na ściereczkę.

– Grudki sera zostają na ścierce, a serwatka spływa do miski – stwierdza Marcin.

– No właśnie! I teraz ścierkę powiesimy nad miską, żeby masa serowa dobrze obciekła i zrobiła się twarda.

Ciocia zawiązuje ściereczkę sznurkiem i wiesza nad zlewozmywakiem na haczyku, na którym zwykle wisi szczotka do zmywania naczyń. Ze ścierki kapie płyn i zbiera się w plastikowej miseczce.

– Marcinku, jutro na śniadanie będziesz jadł najlepszy ser na świecie.

Marcin uśmiecha się. Po deszczu wyjrzało słońce i dzieci spędzają popołudnie, jeżdżąc kettcarem. Wieczorem dostają do picia pyszną serwatkę, którą ciocia schłodziła i wymieszała z wodą mineralną i sokiem jabłkowym. Tę drugą noc Marcin przesypia na swoim dmuchanym materacu niczym niedźwiedź w zimie, ponieważ ciocia i Sandra wcześniej zakleiły w nim dziurę.

Następnego ranka chłopczyk budzi się bardzo wcześnie i biegnie do kuchni, by przyjrzeć się serowi.

– Cześć, Marcinku! Tak wcześnie się obudziłeś? – Ciocia wchodzi do kuchni w grubym frotowym szlafroku i ciepłych skarpetkach.
– Zobaczmy, co z naszym serem. Zrobiła się z niego całkiem spora gomółka. I ciężka.

Ciocia zdejmuje ser z haczyka i razem ze ściereczką kładzie go na talerzu. Teraz Marcin może przeciąć sznurek i przyjrzeć się serowi. Wygląda jak wielka biała śnieżka. Jest gładki i twardy, i pachnie świeżym mlekiem. Marcinowi ślinka napływa do ust.

– Nakryję stół do śniadania – woła i natychmiast bierze się do roboty. Oczywiście, to jest najsmaczniejszy biały ser, jaki Marcin kiedykolwiek jadł. A najlepsze w nim jest to, że może go jeść przez cały tydzień wakacji, jaki spędzi u cioci – tak wielka wyszła im ta bryłka sera.

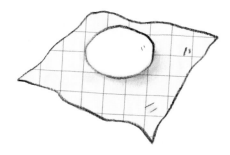

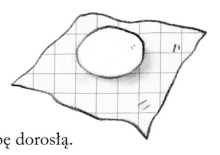

Przy produkcji własnego **sera** poproś o pomoc osobę dorosłą.
Przygotujcie sobie:
2 litry mleka,
tabletkę podpuszczkową,
pół cytryny,
sól, pieprz.

Tabletkę podpuszczkową rozpuść w wodzie zgodnie z instrukcją
na opakowaniu. Mleko przelej do garnka i podgrzewaj powoli
do temperatury czterdziestu stopni Celsjusza. Nie gotuj! Potem,
stale mieszając, dodaj do niego sok z cytryny, sól i pieprz oraz wodę
z rozpuszczoną podpuszczką. Dokładnie wymieszaj. Przykryj garnek
i zostaw na ciepłej płytce, aż z masy utworzy się skrzep i oddzieli
od serwatki. Kiedy masa stężeje i wytworzy się skoagulowany skrzep **sera**,
potnij go nożem na mniejsze kawałeczki.

   Schłodzoną zawartość garnka przelej przez sitko wysłane ściereczką
lub gęstą gazą. Podstaw miseczkę, żeby zebrać serwatkę. Teraz ściereczkę
z masą serową zwiąż mocno i powieś nad zlewozmywakiem (wanną).
Poczekaj parę godzin, aż **ser** dobrze się odcedzi.

 ## Czy chleb puszcza bąki?

– Popatrz tam! – woła Kuba i pokazuje mieniącą się pod powierzchnią wody zwinną rybę. Jej ślad znaczą unoszące się na powierzchni pęcherzyki powietrza, które wyraźnie widać na mętnawej wodzie.

– Wiesz, skąd się wzięły te bąbelki? – pyta Kuba swojego przyjaciela Jaśka i uśmiecha się.

– Może ryba beknęła? – zastanawia się Jasiek.

– Nieee, raczej puściła bąka. – Kuba bierze kanapkę z serem i odgryza wielki kęs. Jasiek wpatruje się w wodę i widzi, jak ryba odpływa.

– Myślisz, że ryby puszczają bąki?

– A dlaczego by nie? Wszystkie zwierzęta, które jedzą, to robią. To przecież logiczne.

Kuba znów wgryza się w kanapkę. Teraz i Jasiek czuje, że jest głodny. Hm, jak ta kanapka pachnie. Ciemne pulchne kromki chleba, a między nimi gruba warstwa masła i złote jak żółtko plastry sera.

Jasiek pochłonął swojego banana, gdy czekał na Kubę na przystanku. Teraz jego żołądek wydaje z siebie długie westchnienie. Jasiek szybko przykłada dłoń w to miejsce, gdzie znajduje się żołądek. Ma wrażenie, że jest pusty niczym metalowe wiadro.

Kuba podsuwa mu swoją kanapkę.

– Chcesz? Ja mam jeszcze jedną – mówi. – Pływanie wzmaga apetyt.

Jasiek bierze kanapkę i odgryza wielki kęs. Kanapka ma pikantny i słony smak, i – im dłużej Jasiek żuje – tym bardziej robi się słodka. Kiedy chłopczyk przełyka pożuty kęs, jego żołądek dziękuje mu radosnym burczeniem.

– Bardzo smaczna – sapie Jasiek.

– To chleb z piekarni. Nasz piekarz piecze go w specjalnym drewnianym piecu chlebowym.

– Bzdura. Nie ma czegoś takiego. Drewniany piec od razu by się spalił.

Kuba żuje i zastanawia się. Rzeczywiście. Piec w piekarni zbudowany jest z czerwonych cegieł i ma grube, czarne metalowe drzwi. Ale przecież piekarz powiedział, że to jest drewniany piec.

– Coś tu się nie zgadza – mruczy Kuba.

– Nasz piekarnik w domu jest w każdym razie z metalu. I działa na prąd – wyjaśnia Jasiek.

– Najlepiej będzie, jak jutro rano to sprawdzimy – uważa Kuba.

– W każdy czwartek nasz piekarz ma dzień otwarty. Kto przyjdzie przed siódmą rano, może sobie zobaczyć, jak się piecze taki chleb.

– Świetny pomysł. – Jasiek zgarnia okruszki z kładki do wody. Natychmiast pod powierzchnią pojawiają się dwie wielkie ryby i chwytają je w pyszczki.

O wpół do siódmej następnego dnia Janek stoi przy płocie. Rower oparł o ogrodzenie i czeka na przyjaciela. Z daleka widzi, jak Kuba i jego tata skręcają w uliczkę, przy której mieszka Jasiek. Chłopczyk ziewa szeroko i macha do nich ręką. Następnie wsiada na rower i jedzie im naprzeciw. A potem we trójkę ruszają w drogę do piekarni. Kiedy docierają na miejsce, wszystkie okna w sklepie są jeszcze ciemne.

– I po co wstawaliśmy tak wcześnie? Piekarz nawet jeszcze nie zaczął piec chleba! – mówi rozczarowany Jasiek, stawiając rower obok wejścia.

– Zaczekaj. – Kuba ciągnie go za rękaw do znajdującej się obok sklepu bramy i dalej na podwórze. – Piekarz jest w piekarni, tam gdzie robi się chleb. Sklep otwiera dopiero później.

Na podwórzu unosi się ciepły i słodki zapach. Piekarnia znajduje się w kącie wyłożonego kostką podwórza. Drzwi są już otwarte na oścież i Jasiek widzi, jak piekarz wyciąga bochenki z pieca i układa je na metalowym regale na kółkach. W środku stoi kilka takich regałów, wszystkie wypełnione są pieczywem. Niektóre bochny są owalne, inne okrągłe albo kanciaste. Jedne są złote i mają delikatną skórkę, są takie z grubą i ciemną, a jeszcze inne posypano ziarnem słonecznika albo sezamem. Na regale z prawej strony Jasiek odkrywa blachy ze złotymi rogalikami, ciemnobrązowymi bułeczkami z rodzynkami i z chrupiącymi kajzerkami. Ślinka napływa mu do ust. Nic dziwnego. Rano tak bardzo się spieszył, że nie zjadł śniadania.

– Cześć, panowie. Chcecie popatrzeć? – Uczennica odbywająca praktykę w piekarni wysuwa dwa regały na podwórze, żeby pieczywo szybciej się ochłodziło. – Wejdźcie do środka. Zobaczycie, jak pieczemy chleb razowy.

Dziewczyna ściska tacie Kuby rękę na przywitanie, po czym podsuwa chłopcom skrzynkę. Kuba i Jasiek wchodzą na nią i mogą teraz zajrzeć wprost w czeluść wielkiego chlebowego pieca. Jasiek dziwi się. Piec jest tak wielki, że ledwie widać ostatnie chleby leżące tuż przy tylnej ścianie.

– Tu jest chyba ze sto bochenków! – szepce Jasiek.

– No nie, aż tyle ich tu nie ma – wyjaśnia piekarz. – Tylko siedemdziesiąt. To jest chleb razowy. On musi się piec dość długo. Popatrzcie… – Przy oknie stoją dwie wielkie kadzie. – To są mieszalnice. W nich automatycznie wyrabia się ciasto na chleb. Mąka, woda, sól i zaczyn. I to wszystko. Do mojego chleba nie dodaję nic więcej.

– A mleko? – dopytuje się Kuba.

Piekarz śmieje się.

– Mleko nie ma czego szukać w cieście na chleb – mogę go najwyżej dodać do bułeczek mlecznych.

Łopatą na długim trzonku piekarz sprawnie i zwinnie wyciąga bochenki z pieca. Są tak gorące, że praktykantka może ich dotykać tylko przez grube skórzane rękawice.

– A dlaczego ten chleb nazywa się chlebem z drewnianego pieca? – chce wiedzieć Kuba.

Piekarz pokazuje polana leżące w taczce stojącej obok pieca.

— Palę w piecu drewnem bukowym, ono daje równomierne i długo utrzymujące się ciepło — tłumaczy. — Taka pełna drewna taczka wystarcza mi na dwieście bochenków. To jest o wiele tańsze niż prąd. Dzięki temu oszczędzam energię.

— To dlatego ten piec nazywa się drewniany! — Jasiek już wszystko rozumie.

— Właśnie. Powinienem właściwie mówić „piec opalany drewnem".
— Piekarz śmieje się i wyciera sobie mąkę z rąk. Tak jak jego uczennica ma na sobie spodnie w kratkę, białe buty i biały T-shirt.

– Chodźcie ze mną. Możecie dzisiaj sami upiec chleb. Co wy na to?

Jasiek i Kuba natychmiast chcą przystąpić do pracy. Uczennica specjalną łopatką oddziela i wyjmuje z kadzi wielki kawał ciasta. Dzieli go na równe porcje i kładzie każdą z nich na wagę.

– Żeby wszystkie chleby były jednakowe – wyjaśnia – trzeba je najpierw zważyć. Potem raz jeszcze zagniatam ciasto i wkładam do foremek, żeby urosło. – Jasiek i Kuba przyglądają się, jak jeden bochenek po drugim lądują w koszyczkach. Jasiek również sięga po porcję ciasta, ale ledwie zanurzył w nim ręce i zaczął je ugniatać, a już ciasto lepi mu się do nich jak guma do żucia.

– Ratunku, utknąłem w cieście – jęczy chłopczyk. Uczennica zdrapuje ciasto z dłoni Jaśka.

– Na początku też mi się to przytrafiało. Zagniatanie ciasta chlebowego jest bardzo trudne. Pokażę wam raz jeszcze, jak to się robi. – Dziewczyna bierze w jedną rękę ciasto Kuby, w drugą Jaśka i zagniata je jednocześnie. – Ciasto miesza się bardzo delikatnie, tak jakby się je masowało – mówi. – Zawsze trzeba zagniatać od zewnątrz do środka.

Zdaniem Jaśka to, co robi uczennica, wygląda bardziej na głaskanie niż na zagniatanie. Trwa to chwilę, a już zgrabna kula ląduje w koszyczku z łyka.

– Teraz ciasto ma chwilę przerwy i musi odetchnąć, zanim powędruje do pieca. Przenosimy je do pomieszczenia, gdzie będzie rosło.

Chłopcy przyglądają się, jak uczennica stawia koszyczki na regale na kółkach i przewozi je do fermentowni.

– A co teraz dzieje się z ciastem? – pyta Jasiek.

Dziewczyna zamyka szklane drzwi pomieszczenia, a następnie bierze ze stołu miskę i podsuwa chłopcom. Dno miski pokrywa gęsta, lepka masa.

– Hm, to ma taki dziwny, kwaśny zapach – stwierdza Jasiek.

– To jest specjalne ciasto – tak zwany zaczyn. W tym cieście zamieszkały niezliczone ilości mikroskopijnych organizmów, których nie widać gołym okiem.

– Bakterie – podpowiada Kuba.

Uczennica uśmiecha się.

– I te bakterie bardzo lubią mąkę. Zjadają ją, a potem muszą prukać.

– I wtedy powstają pęcherzyki powietrza – domyśla się Jasiek.

– No właśnie. Jeśli dodamy do ciasta chlebowego zaczynu, wtedy powstaje w nim całe mnóstwo pęcherzyków powietrza. One właśnie sprawiają, że chleb jest później miękki i pulchny. W fermentowni jest bardzo ciepło i dzięki temu bakterie mają wielki apetyt. Dużo jedzą i dużo prukają, a pęcherzyki powietrza sprawiają, że ciasto rośnie.

– Już pora. Chleb musi iść do pieca – woła piekarz, pukając palcem w szkiełko termometru na wielkim piecu. Otwiera górne drzwiczki i zapala niewielką lampkę, która oświetla puste wnętrze.

Uczennica ciągnie z fermentowni dwa regały wyładowane leżącymi w koszyczkach bochenkami, a piekarz chwyta wielką drewnianą łopatę. Uczennica bierze pierwszy koszyczek i wyrzuca jego zawartość na łopatę. Piekarz błyskawicznie wkłada ciasto do pieca, podsuwając je aż pod tylną ścianę. Wszystko odbywa się bardzo szybko: koszyczek za koszyczkiem lądują na łopacie, a łopata wsuwa bochenki do pieca. Jasiek widzi wyraźnie, jak piekarz się przy tym poci, również T-shirt na plecach dziewczyny jest mokry od potu.

– Często nazywam swoją łopatę strzałą – chichoce piekarz, zamykając drzwiczki pieca po włożeniu ostatniego bochenka. – Wszystkie chleby muszą znaleźć się w piecu jednocześnie. Jeśli będę je wkładał do środka zbyt wolno, to te z tyłu się spalą, a te z przodu zostaną jeszcze surowe. Wszystko musi się odbywać tak szybko, jakbym wstrzeliwał je do środka, a nie wkładał. Dlatego mówię na swoją łopatę strzała. – Piekarz otwiera dolne drzwiczki pieca. – Te tutaj są już gotowe. Teraz je wyjmiemy.

Bochenki wyglądają
spokojnie i przyjemnie, gdy tak
ze spieczoną brązową skórką
leżą sobie w długich rzędach.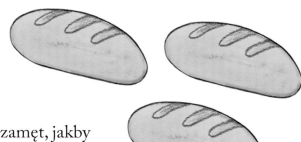
Ale potem zaczyna się pośpiech i zamęt, jakby
piekarz i jego uczennica brali udział w zawodach.
W ciągu paru minut wszystkie chleby są wyjęte z pieca
i poukładane na regałach.

— Przydałoby się nam takie wiosło — mówi Jasiek ze śmiechem,
pokazując łopatę. — Do naszej tratwy na jeziorze.

— Chciałbyś. — Piekarz groźnie naciera łopatą na Jaśka. Chłopczyk
chowa głowę w ramiona. — A poza tym to obraza dla piekarza, jeśli ktoś
jego łopatę określa mianem wiosła — tłumaczy. — Chcecie wziąć gotowy
chleb czy wolicie poczekać, aż upiecze się wasz własny? Ale to jeszcze
chwilę potrwa.

Jasiek i Kuba decydują się zaczekać. Tata Kuby płaci już w sklepie
za chleb i wraca do domu. Chłopcy przyglądają się, jak uczennica
wykłada papierem dużą zieloną skrzynkę i wkłada do niej chleb
i bułeczki. Przyjeżdżają cztery samochody dostawcze i odjeżdżają
załadowane po dach. Wreszcie chleb razowy chłopców jest już upieczony.
Na pożegnanie piekarz daje Jaśkowi pakunek. Paczka jest ciężka i miękka.
— To resztka ciasta na chleb. Możecie go sami upiec. Wystarczy pasek
ciasta owinąć wokół patyka i upiec nad ogniem, na grillu albo na gorącym
kamieniu.

— Super — cieszy się Kuba. — Poproszę tatę, żeby rozpalił nam dzisiaj
ognisko nad jeziorem.

Kącik wiedzy

Już dziesięć tysięcy lat temu wypiekano **chleb**. Jest on najstarszym i najważniejszym pożywieniem człowieka. W dawnych epokach ludzie przygotowywali z wody i z mąki ciasto, z którego piekli potem na kamieniach chlebowe placki. Mąkę robili z dziko rosnących gatunków zbóż. Później, kiedy już porzucili koczowniczy tryb życia, zakładali pola uprawne i hodowali zwierzęta, ciągle rozwijali i doskonalili sztukę pieczenia **chleba**. Budowano piece chlebowe z kamienia i odkryto zaczyn. **Chleb** ma dla nas wielkie znaczenie, czego dowodzą liczne związane z nim zwyczaje i obyczaje. Na przykład gości witano niegdyś **chlebem** i solą. Jeszcze dzisiaj w niektórych regionach przetrwała tradycja witania państwa młodych po ślubie w taki właśnie sposób. Ma to symbolizować ich przyszłe szczęście i dostatek.

Ziemniaki dziadka

– Obieranie ziemniaków to najprostsza rzecz na świecie – mówi dziadek, wyjmując z szuflady obieraczkę. – Nie powiesz mi, że nigdy wcześniej tego nie robiłaś.

Ania wzrusza ramionami i to tak energicznie, że chowa się w nich prawie cała jej głowa. Oczywiście, dziewczynka wie, że gdy chce się usmażyć placki ziemniaczane, należy najpierw obrać ziemniaki. A właśnie dzisiaj na kolację będą placki z musem jabłkowym. Ania często przyglądała się, jak mama obiera ziemniaki. Ale sama tego jeszcze nie robiła.

– Proszę. – Dziadek podsuwa jej wielką ciemnobrązową bulwę.
– Bierzesz ziemniak do jednej ręki, a obieraczkę do drugiej. – Ania obserwuje, jak dziadek odcina obieraczką zgrabne paski skórki. – Proszę bardzo, ziemniak pasiasty.

Ania śmieje się. Rzeczywiście zabawnie to wygląda: biało-brązowy kartofel.

– Nie martw się. Obieraczką się nie skaleczysz – uspokaja ją dziadek.

Ania wyjmuje z wiaderka ziemniak. Jest ciepły i zapiaszczony. Dziewczynka ogląda bulwę z każdej strony. Na środku ma narośl, która wygląda jak wielki nos. Ania wydrapuje mu paznokciem oczy po obu stronach nosa.

– Popatrz, dziadku – chichoce.

– Och, Aniu, miałaś obierać ziemniaki, a nie robić z nich buźki. Inaczej nici z placków. – Dziadek sprawnie i szybko pozbawia ziemniaki łupiny i celnym rzutem umieszcza je w wypełnionym wodą zlewozmywaku.

Nic dziwnego, że dziadek tak sobie świetnie radzi z obieraniem. Bądź co bądź mieszka na wsi. Nie, dziadek nie jest rolnikiem. Mieszka tu po prostu

w domu przerobionym ze stodoły. Sam również nie sadzi ziemniaków i nie uprawia warzyw. Tym wszystkim zajmuje się rolnik – pan Góral. Dziadek naprawia i restauruje stare meble, ale czasem pomaga panu Góralowi, gdy w gospodarstwie jest dużo pracy.

– Ojej. – Dziadek wyjmuje z wiaderka maleńki ziemniak. – To jest nasz ostatni. – Odwraca wiadro do góry dnem i potrząsa. – Nie mamy już więcej kartofli.

– Jeśli chcemy usmażyć placki, koniecznie potrzebujemy ich więcej – mówi Ania.

– Prawda. Najlepiej będzie, jak pójdziemy i wykopiemy sobie parę.

– Wykopiemy? Jak to? U nas ziemniaki leżą w lodówce i nie trzeba ich kopać.

Dziadek kiwa głową.

– Ale zanim trafią do lodówki, znajdują się w sklepie, a zanim dostarczone zostaną do warzywniaka, rosną na polu.

Ania drapie się po głowie. Jasne, że ziemniaki rosną na polu, a nie w supermarkecie. Ale tego, że trzeba je wygrzebywać spod ziemi, nie wiedziała.

– Do ziemniaków dostaniesz się tylko wtedy, gdy wykopiesz je z ziemi jak skarb! – wyjaśnia dziadek. – Co ty na to, żebyśmy ruszyli na poszukiwanie skarbu?

Wychodzą oboje na dwór. Ania zabiera swoją łopatkę opartą o ścianę stodoły. Ręka w rękę przechodzą przez szeroką wiejską drogę. Kiedy znajdują się już prawie na polu, dziewczynka zatrzymuje się.

– Ojej, dziadku, ależ my jesteśmy niemądrzy. Przecież nie wzięliśmy wiaderka na ziemniaki!

Dziadek uderza się dłonią w czoło.

– Masz rację, Aniu. Idź już sama na pole, ono jest tuż za szklarnią. Ja zaraz do ciebie dojdę.

Na polu za szklarnią nic nie ma. Z ziemi wystaje, co prawda, kilka uschniętych łodyg jakiegoś zielska, ale nic poza tym. Rozczarowana dziewczynka rzuca łopatkę na ziemię. Siada na wielkim kamieniu na skraju pola i przygląda się, jak dziadek idzie w jej stronę, trzymając w ręce plastikowe wiaderko.

– Nie musisz się spieszyć – woła Ania. – Nici z naszego szukania skarbów. Nie ma tu już żadnych ziemniaków. Pewnie pan Góral wszystkie zebrał z pola.

Na dowód podnosi uschnięte łodygi i pokazuje je dziadkowi.

– To są łęty ziemniaczane – wyjaśnia dziadek. – To część rośliny zwanej ziemniakiem, rosnąca nad ziemią.

– Być może, ale spójrz, dawno już uschła – mruczy dziewczynka.

– Łodygi ziemniaka rosną tylko wiosną i latem. – Dziadek przykłada dłoń do biodra i dodaje: – Mogą osiągać nawet taką wysokość. Wiosną mają też kwiaty. Małe, ładne gwiazdki w kolorze białym, żółtym i niebieskim. A potem wyrastają z nich zielone owoce wielkości grochu. Są bardzo trujące.

Ania marszczy czoło.

– Ale przecież powiedziałeś, że kartofle rosną pod ziemią! – Teraz dziewczynka niczego już nie rozumie.

– Zaczekaj, zaraz ci pokażę.

Dziadek bierze jej łopatkę i wbija głęboko w ziemię. Potem wzrusza lekko glebę i dalej grzebie w niej już rękoma. Aż wreszcie wyciąga z ziemi plątaninę korzeni, na których wiszą oblepione ziemią bulwy różnej wielkości.

– Ależ to są ziemniaki! – woła Ania.

– Kartofle należą do systemu korzeniowego rośliny zwanej właśnie ziemniakiem. W bulwach roślina gromadzi substancje odżywcze na gorsze czasy. Ale żadna roślina nie może żyć, mając tylko korzenie. Wszystkie muszą mieć łodygę, gałązki i liście, rosnące nad ziemią. Dzięki liściom rośliny chłoną światło słoneczne, tak jak ludzie wdychają powietrze za pomocą płuc. – Dziadek robi głęboki wdech i wydech. – Przez całe lato ziemniaki rosną pod ziemią. Żeby mogły rosnąć bulwy, liściom ziemniaka potrzebne jest słońce. A kiedy bulwy pod ziemią są dojrzałe i więcej nie rosną, wtedy liście na nic się już nie przydadzą, więc więdną i usychają.

– A kiedy wszystkie liście uschną, wtenczas można zbierać ziemniaki?

Dziadek kiwa głową.

– Do biegu, gotowi, start!

I już dziadek i Ania jak szaleni rozgarniają ziemię. To wspaniałe uczucie: ziemia jest miękka, ciepła i krucha, i na dodatek jeszcze pięknie pachnie. Ledwie Ania rozgarnęła glebę na głębokość dłoni, pośród ciemnych grud zaczynają prześwitywać złociste bulwy. Ania wyjmuje je jedną po drugiej. Sprawia jej to ogromną radość. Dziewczynka pracuje szybciej niż dziadek. W mgnieniu oka układa obok siebie prawdziwą kartoflaną górkę.

– Wystarczy, mój mały krecie! – mówi dziadek ze śmiechem. – Do naszego wiaderka nie zmieści się tak dużo ziemniaków!

Dziadek podnosi wyładowane po brzegi ciężkie wiadro. Ania chwyta z drugiej strony i pomaga je nieść. Idą polną drogą, mijają szklarnię i dochodzą do szarej szopy krytej falistą blachą. W środku burczy i dzwoni jakaś maszyna.

– Chodź, pokażę ci, jak pracuje maszyna do sortowania ziemniaków.

Dziadek otwiera solidne drzwi i pozwala wnuczce zajrzeć do środka.
Maszyna do sortowania ziemniaków jest bardzo duża i bardzo głośna.
Z jednej strony pan Góral wsypuje zebrane ziemniaki z przyczepy
do wielkiego metalowego lejka. Z niego taśmociąg transportuje bulwy
na siatkę. Siatka porusza się w różne strony, a ziemniaki podskakują na niej
tak długo, aż zostaną pozbawione oblepiającej je ziemi i brudu. Następnie
taśma przenosi ziemniaki dalej, do kolejnego sita. Na tej siatce zostają
tylko duże ziemniaki, a małe spadają do pojemnika.

– W ten sposób oddziela się małe ziemniaki – woła dziadek, starając się
przekrzyczeć hałas maszyny.

– A co robią pan Góral i ten drugi pan na górze? – Ania pokazuje mężczyzn stojących na górze przy taśmie. Obaj mają na uszach specjalne, tłumiące hałas ochraniacze.

– Pan Góral i pan Kucharski wybierają zepsute ziemniaki. Takie, których nie można sprzedać i dostają je krowy gospodarza.

Ania uważa, że to dobrze, że niepełnowartościowych ziemniaków się nie wyrzuca, tylko oddaje na paszę dla zwierząt.

– No, nie żałowaliście sobie! – krzyczy pan Góral, pokazując na wiadro dziadka i Ani. – Macie w tym wiadrze pewnie z dziesięć kilo ziemniaków. I chcecie to wszystko za darmo?

– Robimy dzisiaj placki ziemniaczane i zapraszamy was na ucztę!

Dziadek trze ziemniaki na tarce, a Ania przygotowuje mus jabłkowy. To całkiem proste: trzeba obrać jabłka, pokroić na ćwiartki i wyciąć pestki. Następnie dziewczynka wrzuca kawałki owoców do garnka z wodą. Dziadek dusi je i miksuje na gładką masę.

– Czy dobrze trafiliśmy na zawody w jedzeniu placków ziemniaczanych? – Pan Góral gładzi się po brzuchu. – Tym razem pobiję was wszystkich na głowę. Zjem co najmniej dwadzieścia cztery sztuki.

– Zobaczymy. Nie chwal się na zapas! – śmieje się dziadek, stawiając na stole przygotowany przez Anię mus jabłkowy.

Kącik wiedzy

Kartofle pojawiły się w Polsce później niż jabłka, brukiew czy fasola. Prawie czterysta pięćdziesiąt lat temu hiszpańscy żeglarze przywieźli **ziemniaki** do Europy. Poznali je w czasie swoich wędrówek po Ameryce Południowej. Mieszkający tam Inkowie znali i uprawiali te rośliny od bardzo dawna. Europejczykom spodobały się ich gwiaździste kwiaty i uprawiali je w ogrodach botanicznych jako rośliny ozdobne. Nie mieli pojęcia, że można również jeść ich bulwy rosnące na korzeniach!

W Niemczech panował w owym czasie cesarz Fryderyk II Wielki. Czytał książki na temat upraw i zainteresował się **ziemniakiem**. Jego zdaniem **ziemniaki** były znakomitym pożywieniem, były łatwe w uprawie i miały bardzo dużo witamin, i dlatego cesarz nakazał odpowiednim zarządzeniem ich powszechną uprawę. Ale rolnicy nie mieli zaufania do tych nowości i nadal woleli siać i zbierać zboże.

Żeby zachęcić chłopów do uprawy **kartofli**, cesarz wymyślił pewien podstęp. Polecił założyć wielkie pola uprawy **ziemniaka** wokół Berlina i rozstawić wokół nich liczne straże. Teraz chłopi sądzili, że wojsko pilnuje czegoś bardzo cennego i ważnego. Zastanawiali się, co tak wartościowego może rosnąć na polu. Cesarz kazał jednak swoim żołnierzom pilnować niezbyt dokładnie i czasami udawać, że śpią, jeśli ktoś zbliżał się do pól.

118

W takich momentach ciekawscy chłopi zakradali się na pole i podbierali **ziemniaki**. W domu gotowali je i próbowali skradzionych wspaniałości. Wszyscy byli zachwyceni ich smakiem. Przedtem rzadko jedli coś tak pysznego. I natychmiast decydowali się rozpocząć uprawę **ziemniaków** na swoich polach.

W Polsce uprawy **ziemniaka** jako rośliny ozdobnej rozpoczęły się prawdopodobnie od króla Jana III Sobieskiego. Ze słynnej wyprawy do Wiednia w roku 1683 król przywiózł podobno sadzonki specjalnie dla ukochanej żony, królowej Marysieńki. Były one podarunkiem od cesarza austriackiego z jego wiedeńskich ogrodów. Uprawę **ziemniaka** rozpoczął w Warszawie, w ogrodzie na Nowolipkach, ogrodnik Łuba. Były one dostarczane na dwór królewski i dwory magnaterii w czasach panowania Augusta II. Uprawy na większą skalę rozpoczęły się później za czasów Augusta III Sasa, czyli w połowie XVIII wieku.

Lukier

– Nie chcę czapki. Nie włożę jej! – Małgosia ściąga z głowy swoją czerwoną czapeczkę i rzuca ją pod ławkę na dworcu.

– Dość tego! – Mama jest bardzo zła. Wyjmuje mi z ręki narty Małgosi i mówi: – Gosiu, nie mamy czasu na takie gierki. Zaraz odjeżdża nasz pociąg. Chcesz zostać sama na peronie?

Dziewczynka krzywi się i przygląda, jak odstawiam torbę z prezentem dla mamy i włażę pod ławkę. Zaczyna chichotać.

– Popatrz, co robi Piotrek.

To typowe dla Małgosi. Śmieszy ją, jak z ciężkim plecakiem na plecach muszę na czworaka włazić pod ławkę i szukać jej czapki. Na szczęście zaraz ją znalazłem.

– Małgosiu, trzymaj, będziesz jej potrzebowała. W Szwajcarii jest bardzo zimno. Bez czapki odmrozisz sobie uszy.

Przestraszona dziewczynka zasłania sobie uszy dłońmi. A potem pozwala, bym nałożył jej czapkę.

– Najwyższy czas. Gdzieście byli tak długo? – Tata pomaga mamie i mnie wsiąść do pociągu. Nagle słyszymy głośny gwizd. Sygnał do odjazdu. Odwracam się przestraszony. Ale tata chwycił już Małgosię pod pachy i wciągnął do wagonu. – No, ledwie zdążyliśmy. Mało brakowało, a pojechalibyśmy bez ciebie.

Jakiś czas później ja i moja siostra siedzimy na łóżku w naszym przedziale sypialnym. Jesteśmy przebrani w piżamy i umyliśmy już zęby.

Małgosia przytula się do mnie.

– Jutro, gdy się obudzisz, będziemy już w szwajcarskich górach. Tam wszystko jest białe i pokryte śniegiem – opowiadam jej półgłosem.

– To nie jest śnieg – mówi Małgosia. – To cukier. Rozsypały go
na wierzchołkach aniołki na święta Bożego Narodzenia. Prawda, mamo?

Mama siada obok nas.

– Ależ skąd, Małgosiu. W twojej książeczce o świętach napisane jest,
że śnieg wygląda jak cukier. Ale to nie jest prawdziwy cukier. – Mama
całuje mnie i moją siostrę na dobranoc.

Małgosia mruczy coś jeszcze, ale potem zamyka oczy. Ja myślę o tym,
co czeka nas jutro. Pojedziemy autobusem do wsi wysoko w górach,

a potem będziemy musieli jeszcze iść piechotą do naszej chaty. Na pewno wszystko jest tam zasypane śniegiem. Rozpalimy w kominku, będziemy jeździć na nartach i świętować Boże Narodzenie. Nagle gwałtowny skurcz ściska mi żołądek. Siadam na łóżku, a serce zaczyna mi walić. Prezent mamy! Zostawiłem torbę na peronie.

– Tato! – szepcę.

Tata podnosi głowę.

– Co się stało?

– Prezent mamy. Zostawiłem go na peronie.

Tata marszczy czoło. Ale zaraz wokół oczu pojawiają mu się zmarszczki śmiechu.

– Trudno, Piotrusiu. Jutro na pewno wpadnie nam do głowy pomysł, co możemy jej podarować. Nie martw się i śpij.

Rano ktoś budzi mnie buziakiem. To mama.

– Czas wstawać – mówi. – Jesteśmy na miejscu!

Siadam i wyglądam przez okno. Świeci słońce, a wokół nas widać ośnieżone wierzchołki gór.

Małgosia gładzi się po brzuchu i mlaszcze z zadowoleniem:

– Pycha, pycha, cukrowe góry.

Krajobraz jest zachwycający. Góry promienieją białym blaskiem, jakby rzeczywiście anioły przysypały je cukrem. Na jednym ze zboczy odkrywam niewielką drewnianą chatę. Z komina wprost do nieba wędruje siwa smuga dymu. Przychodzi mi do głowy pewien pomysł! Zrobimy mamie domek z piernika. Taki, który wygląda dokładnie tak samo jak chatka na zboczu. Szybko wyskakuję z łóżka i szepcę tacie do ucha. Tata przymyka oczy i kiwa głową.

– Dobry plan. W Haselbergu musimy czekać na autobus. Będziemy mieli czas na zakupy. – Przytula mnie mocno i głaszcze po policzku.

Dumny kroczę przez supermarket za tatą, który niesie wielką paczkę korzennych ciasteczek i cukier puder. Ja mam w ręce opakowanie kolorowych groszków i cytrynę. Kiedy stoimy przy kasie, tata bierze mnie za rękę i mówi: – Dzisiaj po południu wyślemy mamę i Małgosię na sanki. I zrobimy domek.

Chwilę później siedzimy już w autobusie i jeździmy w tę i z powrotem. To dlatego, że autobus musi pokonać wiele serpentyn. Inaczej nie da się wjechać pod tak wysoką górę. Małgosia siedzi obok mnie i aż piszczy z radości. Na ostatnim zakręcie przed szczytem autobus przystaje. Tak daleko prawie nikt nie jeździ i jesteśmy jedynymi osobami, które tutaj wysiadają. Śnieg sięga nam do kolan, gałęzie jodeł uginają się pod jego ciężarem. Jest go tak dużo, że wygląda jak gruba warstwa cukrowej waty.

– Anielski cukier – mówi Małgosia i chwyta zwisającą nisko gałąź.
Wgryza się śnieg i cmoka z zachwytu. – Hm… jaki słodki.

Po południu tata i ja rysujemy plan budowy domku z piernika. Będzie
wyglądał tak jak nasza chatka w Haselbergu: z oknami na poddaszu
i niewielkim balkonem. Musi mieć dwuspadowy dach z kominem.
A potem bierzemy się wspólnie do pracy. Tata robi z cukru lukier
i zlepiamy nim ciastka. Okna tata maluje lukrem za pomocą ściętej na rogu
plastikowej torebki. Wyglądają jak prawdziwe. A na końcu zlepiamy
wszystkie ściany i ustawiamy domek na desce do krojenia.

– Ojej, a to co takiego? – woła Małgosia, wpadając z impetem do kuchni
w zaśnieżonym kombinezonie. Do jej czapki i włosów lepi się śnieg.

– To prezent dla mamy na Boże Narodzenie – wyjaśniam.

– Ale nasza chata wygląda całkiem inaczej – protestuje Małgosia.

– To dlatego, że nie ma jeszcze dachu – tłumaczę jej.

– Nie, to nie z powodu dachu. Na naszej chacie leży mnóstwo śniegu.
Musicie pocukrzyć ten domek, tak jak aniołki pocukrzyły góry.

Tata i ja spoglądamy na siebie i uśmiechamy się. O tym nie
pomyśleliśmy. Brakuje cukrowej czapy, oczywiście! Zrobimy ją po prostu
z lukru. Będzie wyglądał jak śnieg i zlepi poszczególne części dachu!

Mama właśnie wróciła i chce wejść do kuchni.
Szybko zamykamy drzwi. Tata pokazuje nam, jak
łyżką zrobić lukrowe pokrycie dachu, które
później będzie wyglądało jak prawdziwy
śnieg. To bardzo łatwe. Małgosia kropi
półpłynny lukier na dach, potem jeszcze
wokół domku, a część ostrożnie
rozsmarowuje po ścianach. Zanim
lukier stężeje, przyklejamy do dachu
kolorowe groszki. Wreszcie domek

wygląda zupełnie tak jak nasza zasypana śniegiem chata. A właściwie jeszcze ładniej!

Tata i ja dajemy Małgosi soczystego buziaka w policzek. Tata z prawej, a ja z lewej strony.

– Miałaś pomysł super, Małgosiu!

– Ale to przecież nie jest śnieg, głuptasy – chichoce moja siostra.

– To po prostu anielski cukier puder.

Do zrobienia domku z **lukru** potrzebujesz:
dużej paczki pierników lub herbatników korzennych,
soku z cytryny,
120 gramów cukru pudru.

Na taki domek z herbatników jak ten Małgosi i Piotrka, potrzebujesz ciastek. Jako kleju spajającego ściany i dach użyj **lukru**. Zrobisz go w następujący sposób: odważ 120 gramów cukru pudru i wymieszaj z jedną łyżką stołową soku z cytryny. **Lukier** musi być bardzo gęsty.

   Teraz połóż ciastko na stole i prawą i lewą krawędź posmaruj lukrem. Na nim ustawisz dwuspadowy dach. Tam gdzie ciastka stykają się, tworząc wierzchołek dachu, daj więcej lukru. Nie szkodzi, jeśli jego część spłynie po dachu. Będzie później wyglądał jak śnieg zsuwający się ze strzechy. Możesz też cały dach pokryć lukrem i przybrać srebrnymi perełkami albo kolorowymi groszkami. Takie słodkie ozdoby bardzo łatwo przyklejają się do lukru. Teraz domek trzeba odstawić do wyschnięcia. Nawiasem mówiąc, domek z trzech ciastek idealnie nadaje się na mieszkanie dla rodziny żelkowych miśków…

HISTORYJKI dla ciekawskich DZIECI!

Petra Maria Schmitt, Christian Dreller

Skąd się biorą dziury w serze?

Historyjki dla ciekawskich dzieci

Prószyński i S-ka

Petra Maria Schmitt, Christian Dreller

Dlaczego rekiny nie chodzą do dentysty?

Historyjki dla ciekawskich dzieci

Prószyński i S-ka

www.proszynski.pl